Nous remercions le ministère du Patrimoine canadien,
la SODEC et le Conseil des Arts du Canada
de l'aide accordée à notre programme de publication

 Patrimoine Canadian
canadien Heritage

  Conseil des Arts Canada Council
du Canada for the Arts

ainsi que le gouvernement du Québec
– Programme de crédit d'impôt
pour l'édition de livres
– Gestion SODEC.

Nous reconnaissons l'aide financière
du gouvernement du Canada
par l'entremise du Programme d'aide au développement
de l'industrie de l'édition (PADIÉ) pour ce projet.

Illustration de la couverture :
Catherine Gauthier

Conception de la maquette :
Mélanie Perreault et Ariane Baril

Montage de la couverture :
Grafikar

Édition électronique :
Infographie DN

Membre de l'Association nationale des éditeurs de livres

ASSOCIATION
NATIONALE
DES ÉDITEURS
DE LIVRES

Dépôt légal : 1er trimestre 2011
Bibliothèque nationale du Canada
Bibliothèque nationale du Québec

1234567890 IM 987654321

L'Empire des sphères

Chroniques de Bois-Rouge

DU MÊME AUTEUR,
AUX ÉDITIONS PIERRE TISSEYRE

Collection Conquêtes
Chroniques de Bois-Rouge
Héronia, roman fantastique, 2008.
La chamane de Bois-Rouge, roman historique
    et fantastique, 2009. Finaliste au Prix du
    Gouverneur général 2010.
Le Pays des Dunes, roman fantastique, 2010.
La malédiction du Grand Carcajou, roman historique
    et fantastique, 2010.

AUX ÉDITIONS DE L'AS

Calme-toi, Frédéric!, roman, 2007.
Mais où est passé Anatole?, roman, 2007.
Fiona! tu exagères!, roman, 2008.

AUX ÉDITIONS DE LA PAIX

Votez Gilbarte, roman, 2003.
Mélodie et la fontaine, roman fantastique, 2001.
    Lauréat du Prix Excellence 2005.
Le clan Rodriguez, roman, 2006.

AUX ÉDITIONS POINT DE FUITE

Awassos, l'Abénaki, roman, 2008.
La Mésange d'Odanak, roman, 2009.

Catalogage avant publication
de Bibliothèque et Archives nationales du Québec
et Bibliothèque et Archives Canada

Steinmetz, Yves

        L'Empire des sphères

        (Conquêtes; 132. Roman.)
        Pour les jeunes de 12 ans et plus.

        ISBN 978-2-89633-186-4

        I. Titre II. Collection Conquêtes; 132.

PS8637.T45E46 2011   jC843'.6   C2010-942681-9
PS9637.T45E46 2011

Yves Steinmetz

L'Empire
des sphères

Chroniques de Bois-Rouge

roman

ÉDITIONS
PIERRE TISSEYRE
w w w . t i s s e y r e . c a

155, rue Maurice
Rosemère (Québec) J7A 2S8
Téléphone : 514-335-0777 – Télécopieur : 514-335-6723
Courriel : info@edtisseyre.ca

À Céline.

Chapitre 1

Marabout XVIII, sphérarque de Thalassa[1], n'en peut plus de ronger son frein. Il arpente de long en large la salle du rapport où nul ne vient plus le visiter. Sa longue silhouette, que l'âge et la lassitude ont commencé à voûter, ne peut se résoudre à s'asseoir dans son fauteuil rembourré de duvettissu turquoise, sur l'estrade réservée aux dirigeants de la sphère. Tout en déambulant, il roule entre ses doigts nerveux les mèches de sa barbe dont le bleu a pâli, prenant la teinte du vieil acier.

---

1. Découverte par Élyse et Jonathan, Thalassa est la première sphère après la Terre. Voir *Héronia,* du même auteur, dans la même collection.

La vaste salle turquoise est entourée de murs liquides derrière lesquels on peut voir évoluer des plantes et des êtres aquatiques. Parfois même un humain, car les habitants de Thalassa sont aussi à l'aise dans l'eau qu'à l'air libre. Dans la pièce, plusieurs fontaines harmonisent leurs glouglous en une chorale apaisante.

Le chuintement d'une porte d'eau fait sursauter Marabout : Ciconia, son épouse, vient aux nouvelles. Plus alerte que lui, elle escalade en sautillant les trois marches de l'estrade. Avec sa robe bleu pervenche moulante, ses longs cheveux indigo qu'aucun fil blanc ne brode encore du sceau de la vieillesse et sa démarche décidée, elle ne paraît pas ses cent quatre-vingt-quatre ans. Elle s'assoit et donne quelques tapes invitantes sur le siège de son malheureux époux.

— Allons, viens près de moi, Marabout, cela ne sert à rien de te faire du mauvais sang.

Le maître des lieux consent à interrompre sa marche sans but pour rejoindre sa femme. Elle lui prend la main et cherche son regard.

— Toujours rien ?

Il se contente de hausser les épaules et de grommeler :

— Ça fait un mois, déjà, en temps terrestre.

○

Depuis trente jours, Marc Hautbuisson, maître de bief régional, n'est plus venu livrer son rapport quotidien à ses supérieurs.

Bien des choses ont changé, depuis quelque temps. Il n'est pas facile de garder secrète l'existence du monde des sphères. Un rôdeur, alléché par des rumeurs, s'y est intéressé. Il a repéré le manège de Marc Hautbuisson qui, tous les matins, prenait sa chaloupe et disparaissait dans le gros rocher gris, porte de Thalassa. Peu après, le maître de bief en ressortait et rentrait de sa promenade. Il n'en fallait pas plus pour décider le curieux, qui a volé la chaloupe pour se précipiter sur le rocher. Il s'y est fracassé.

Pour ouvrir cette porte-là, il fallait deux clés : le maître de bief et sa chaloupe.

○

Marc approche doucement de cette masse de roc, insolite au milieu du marécage, et qui a toujours été le passage entre la Terre, monde d'illusions, et Thalassa, la sphère d'eau, monde mental qui s'appelait naguère Héronia. Il a fallu la rebaptiser depuis que les hérons l'ont abandonnée en pleine tourmente, quand Élyse et Jonathan ont accompli leur mission qui consistait à permettre à tous l'accès aux sept sphères.

Marc vient ici tous les jours, tentant de retrouver l'entrée vers Thalassa et les autres sphères. Il lui suffisait de foncer sur le rocher avec sa chaloupe pour y pénétrer et se retrouver sur Thalassa. Mais sa nouvelle embarcation se refuse à forcer l'obstacle. Le jeune homme a essayé d'entrer seul, sans son bateau, mais le résultat n'a pas été plus heureux. Thalassa n'est accessible à Marc que s'il est dans sa chaloupe. Celle qui a été détruite. Les deux conditions du passage pourront-elles un jour être de nouveau réunies ?

○

Nautonier, maître des gardes du marais de marbre de Thalassa, est un serviteur zélé, mais manque parfois d'initiative lorsqu'il est confronté à une situation inhabituelle. Or plus rien n'est normal. L'eau a cessé de circuler dans les canaux de marbre bleu et stagne dans la plus totale inertie. Même le grand canal est immobile. Depuis la naissance des mondes, il se déversait dans un gouffre qui était la porte d'entrée vers Éolia. Maintenant, cette porte de sortie a disparu et le cours d'eau est lui aussi tombé dans l'inertie.

Pour comble, un objet insolite est venu bouleverser sa routine : une singulière pierre rouge, visible comme le soleil dans le ciel. L'objet, plus ou moins rond, mesure environ un mètre de côté et flotte au-dessus du sol à hauteur de la ceinture de Nautonier. Le garde a essayé de la déloger, à la main d'abord, puis en utilisant toute la force de son menssana, ce puissant moteur mental qui pourrait déplacer des montagnes. En vain. La pierre rouge, qui trahit l'harmonie bleue de Thalassa, doit provenir d'une autre sphère. Ce qui est devenu impossible depuis quelque temps, vu le passage inexplicablement bloqué entre les sphères.

Ne sachant que faire, Nautonier décide d'en référer à son sphérarque. D'une simple pulsion de son menssana, il disparaît des rives du grand canal et se matérialise dans la salle du rapport.

— Tu éclaires mon cœur, grand Marabout, et toi aussi, Ciconia.

— Tu nous éclaires aussi, Nautonier, répond le sphérarque, selon la formule rituelle. Nous apportes-tu du neuf?

— Pas vraiment. Seulement une chose insolite.

Marabout XVIII soupire, blasé.

— Mon pauvre Nautonier, TOUT est insolite, en ce moment.

Le garde expose quand même en détail sa découverte de la pierre rouge. Ce qui ne fait qu'attiser la mauvaise humeur du sphérarque.

— Mais qu'est-ce qui se passe dans les sphères, bec et plumes?

— Marabout! s'insurge Ciconia, cela ne te donne pas la permission de sacrer.

L'expression «bec et plumes», souvenir de l'époque où les hérons faisaient la pluie et le beau temps sur Thalassa, est restée l'un des sommets de la grossièreté. Le sphérarque s'empresse de s'excuser. Comme toujours, lorsque sa femme le réprimande, elle en profite pour prendre les rênes de la conversation.

— Ne faites pas cette tête-là, mes amis. On dirait que cette pierre bizarre vous est tombée sur la tête ! En tout cas, elle constitue un fait nouveau, ce qui n'est plus arrivé depuis que les communications ont été coupées. Ce gros caillou ne peut provenir que de la Terre ou d'Éolia, étant donné que rien ne peut passer d'une sphère à l'autre sans transiter par les mondes intermédiaires. Je pencherais plutôt pour la Terre. Je n'ai jamais aperçu de pierres rouges sur Éolia, quand nous pouvions encore nous y rendre.

— Mais qu'est-ce qu'une pierre rouge, même en lévitation, peut bien nous apporter ?

— Allons, Marabout, un peu d'optimisme, nom d'une carpe ! Cette intrusion est au contraire inespérée. Elle nous apporte la certitude qu'il existe encore, quelque part, un passage entre les sphères. À nous de le trouver.

Le sphérarque rumine cet argument quelques instants, puis s'adresse à Nautonier :

— Depuis quand cette pierre est-elle arrivée dans le secteur du marais de marbre ?

— Cela remonte à un mois tout au plus, puisqu'il me faut ce délai pour inspecter tout le réseau des canaux.

Marabout devient songeur, tout à coup. Il remercie distraitement Nautonier qui s'efface aussitôt. Il se tourne vers Ciconia.

— Penses-tu à la même chose que moi?

— Le tremblement de sphères, n'est-ce pas?

— Oui, ma chérie. Ce tremblement de sphères qui a eu lieu il y a un mois, et après lequel les communications et les voyages interphéraux ont été interrompus. Je suis sûr qu'il y a un lien entre les deux phénomènes.

— Si au moins Élyse et Jonathan étaient sur Thalassa! Ils trouveraient certainement l'origine de ce caillou qui a tant dérangé Nautonier. Et surtout, ils n'ont pas leur pareil pour débloquer les passages.

○

La même inquiétude règne le long de la Rivière-aux-Souches. Chez Cyrille et Marylène sont rassemblés Marc Hautbuisson, Élyse et Jonathan. Cyrille, qui est sourcier mais que les gens de Bois-Rouge prétendent sorcier, réfléchit dans sa position habituelle. Un coude sur la table et un poing planté sur le genou. On devine, sous l'embonpoint de ce personnage grand et massif, une musculature herculéenne. Son visage est presque enseveli sous une tignasse hirsute, des sourcils broussailleux, une barbe et des moustaches qui semblent n'avoir jamais rencontré de peigne ou de ciseaux.

Cet homme énigmatique a toujours réponse à tout, mais il a l'agaçante manie de penser longtemps avant de prononcer un mot.

Sa nièce, Élyse, interrompt sa médi-tation :

— Si le passage est fermé, c'est à cause de ce voleur de chaloupes qui est allé s'y écraser. Toute la région a connu, au même moment, un bref tremblement de terre ; il ne faut donc pas s'étonner si des choses ont changé.

La femme de Cyrille, Marylène, est aussi grande que lui, mais tout en grâce et en féminité. Elle ajoute avec un entrain un peu forcé :

— Nous allons simplement devoir chercher un autre passage.

Marc et Jonathan, ne sachant que dire, se taisent. Cyrille sort de son mutisme recueilli.

— Je suis certain que le tremblement de terre, provoqué par l'impact de la chaloupe sur le rocher, était en fait un tremblement de sphères. Les sept mondes ont certainement ressenti la secousse. Ce phénomène est très rare, mais a toujours eu des séquelles alarmantes. À mon avis, les passages sont irrémédiablement condamnés. Il faudra donc partir à la recherche de nouvelles portes. Je crois que la sagacité d'Élyse et de Jonathan va une fois de plus être mise à l'épreuve.

Cyrille fronce les sourcils et se redresse. Cette attitude, chez lui, annonce toujours des paroles définitives. En effet, il enchaîne :

— Mais il y a plus grave : un séisme comme celui que nous avons vécu peut créer des fissures entre les sept mondes et les parasphères.

— Les parasphères ? s'exclame Marylène. Tu veux dire d'autres sphères que celles que nous connaissons ?

— Je suis au courant de leur existence, mais je n'en sais pas plus. Seul Horace pourrait nous en apprendre davantage. Il m'a simplement prévenu, jadis, de leur existence et m'a mis en garde : il ne faut à aucun prix tenter de passer de notre univers à celui des paraspheres. Les conséquences d'un tel geste pourraient être catastrophiques.

Élyse secoue sa belle crinière rousse, comme si elle s'ébrouait en sortant d'un somme.

— Ce mystère me rappelle celui que nous avons résolu lorsque Noûs nous a confié, à Jo et à moi, la mission de réunir les sphères. Nous n'y avions d'abord pas cru.

Jonathan intervient à son tour :

— À présent, nous savons, pour l'avoir expérimenté, que ce n'est pas impossible. Quant à Noûs, j'espère que lui, au moins, peut encore se déplacer à son gré. Il est le grand maître des sphères, après tout.

— En passant, il ferait bien de se manifester, maugrée Marc. Je suis au chômage depuis trente jours, moi.

La porte qui s'ouvre fait tourner les têtes et cesser l'échange. Un curieux personnage fait son entrée sans avoir pris la peine de sonner. Un tout petit bonhomme, presque un nain, doté d'une carrure d'athlète. Il porte une salopette bleue, une chemise rouge à carreaux, des bottes de caoutchouc et un immense chapeau informe. Joseph Gradu, dit Zep, dans toute sa splendeur.

Zep est l'employé de Cyrille. Récemment, il est devenu millionnaire en déterrant deux énormes pépites d'or dans une plate-bande de Bois-Rouge. Ignorant la valeur de l'argent, il a laissé Cyrille lui faire construire une maison, dans laquelle il s'est empressé d'inviter Papy, un vieux sans-abri, et un chat gris-brun, animal au caractère irascible mais qui aime son confort. Pour ce qui est de prendre sa retraite, Zep n'a rien voulu savoir. Le travail d'homme à tout faire étant la seule activité qu'il connaisse, il a continué de l'exercer. Et Cyrille, lui, a persisté à lui verser un juste salaire qui n'est qu'une goutte d'eau dans l'océan de la fortune de Zep.

Élyse sursaute à l'arrivée du bonhomme.

— La voilà, la solution ! crie-t-elle en désignant l'arrivant.

Ce dernier, nullement étonné – c'est un sentiment qu'il ignore –, se contente de s'asseoir à côté de Jo pour qui il éprouve une admiration sans borne. Cyrille prie Élyse d'éclaircir sa pensée.

— Je comprends ! s'exclame Jonathan. J'ai essayé des dizaines de fois, avec Baste puis avec Élyse, de pénétrer au Pays des Dunes[2]. Nous n'avons pu y arriver qu'avec beaucoup d'aide et de nombreux essais infructueux. Zep, lui, y parvient du premier coup, et chaque fois qu'il le désire.

— Mais c'est vrai, ça ! sursaute Cyrille que d'habitude rien n'arrache à son flegme légendaire. Je n'y avais pas pensé. Cela mérite d'être essayé.

Élyse, qui a beaucoup d'ascendant sur le petit homme, vient lui prendre la main.

— Zep, ferais-tu quelque chose pour moi ?

— Oui.

— Tu vas faire comme pour le Pays des Dunes, mais à un autre endroit.

Il reste un obstacle à la réalisation de ce beau projet : seuls les frontaliers, c'est-à-dire ceux qui sont pourvus d'un menssana, ont accès à l'univers des sphères. Les autres, que l'on nomme Zibounous, ne peuvent en franchir les frontières.

Marylène est déjà en train de sonder mentalement l'esprit de Zep. Un esprit que tous ont toujours considéré comme

---

2. Voir *Le Pays des Dunes,* du même auteur, dans la même collection.

rudimentaire. Au point que plusieurs à Bois-Rouge l'ont surnommé «l'idiot du village».

La femme du sourcier se dresse, les yeux hagards.

— Il en a un! Zep n'est pas un Zibounou! Il possède un menssana aussi puissant que ceux de Marabout XVIII et de Ciconia réunis! Je l'ai décelé, mais impossible d'y pénétrer.

— Voyons, Marylène, seuls les gnomes et les djinns sont dotés d'un menssana impénétrable, grommelle Cyrille, dont les sourcils se sont levés d'étonnement, révélant deux yeux de charbon.

Cette nouvelle jette la consternation dans le groupe. On avait cru jusque-là que les frontaliers étaient des gens de grande intelligence. Il faut croire que les simples d'esprit peuvent, eux aussi, être des leurs. Ou alors, Zep est un gnome, ce qui expliquerait tout.

Zep, que les longues conversations ennuient, et qui a de la difficulté à assembler une phrase de trois mots, n'écoute déjà plus. Il a ôté ses grosses lunettes rondes et les essuie avec un pan de sa chemise qu'il a sorti de sa salopette après en avoir abaissé la fermeture à glissière.

Chapitre 2

Le gros rocher gris qui trône dans le marais de la Rivière-aux-Souches n'est qu'à deux mètres de la terre ferme, ce qui permet d'y jeter une passerelle de planches. Bien sûr, Zep pourrait passer de la chaloupe au rocher, mais il est préférable de lui ménager un chemin de retour et de lui éviter un bain forcé si l'embarcation n'est pas là pour le recevoir.

Le petit homme, qui n'a jamais douté de rien, et certainement pas de lui-même, franchit le pont vers les sphères d'un pas guilleret. Il le fait pour Élyse, sa meilleure amie ! Avant de prendre pied sur le roc, il se répète une dernière fois sa leçon : sur Thalassa, penser «salle du rapport». Dire bonjour aux personnes qu'il rencontrera, revenir avec un message écrit.

Il disparaît dans la masse de pierre.

Étonnant petit bonhomme, il a réussi !

Zep, qui vit en harmonie avec sa propre ignorance, a depuis toujours pris l'habitude de considérer comme normal tout ce qu'il ne comprend pas ou n'a jamais vu. Aussi se trouve-t-il très à l'aise devant l'étendue de marbre bleu qui l'entoure. Même cette pierre rouge suspendue dans les airs n'arrive pas à le distraire de la leçon qu'il s'efforce de se rappeler.

Ceux qui y parviennent sont les trois curieux personnages qui soudain l'entourent. Que doit-il faire, à présent ?

Ah oui ! Dire bonjour aux gens que je rencontre et demander un message.

Zep tend gentiment la main :

— Bonjour. Donner message.

Cette tentative a pour seul effet de faire reculer ces êtres singuliers. Ils se tiennent sur trois pattes et marchent en déplaçant alternativement les deux pattes latérales, puis la patte centrale et ainsi de suite. Pour le reste, ils auraient plutôt l'air de hérons s'ils n'étaient couverts de poils. Tandis

24

que les étrangers l'observent, Zep tente encore d'engager la conversation. Ce qui est téméraire, venant de lui qui en a si peu. Il s'impose un gros effort pour sortir quatre mots, soit un de plus que dans la moyenne de ses reparties.

— Bonjour. Vous êtes hérons?

Les trois personnages le scrutent avec intensité, puis changent de forme. Ils portent à présent des plumes.

— Pourquoi trois pattes?

L'instant d'après, ils n'en ont plus que deux. Zep a souvent vu un grand héron bleu pêcher dans la Rivière-aux-Souches. À l'instant où il compare ces oiseaux-là avec ses souvenirs, ses trois interlocuteurs changent de couleur. Ils présentent maintenant celle des dalles de marbre de Thalassa. Rassuré par tant de bonne volonté, le petit homme insiste:

— Faut parler à Zep.

Les étranges visiteurs se concertent à voix basse dans une langue inconnue, puis se tournent vers le bonhomme. L'un d'entre eux commence à s'adresser à lui au moyen de courtes phrases. Une de trois mots suivie de deux de quatre mots. Comme celles que le petit homme vient de prononcer. Mais cela va trop vite. Zep n'en retient qu'une :

— Par où la sortie ? a demandé le faux héron.

Qu'a dit Élyse à ce sujet ? Ah oui ! Penser très fort : « Gros rocher gris ».

— Faire comme Zep.

Fermant les yeux pour ne pas être distrait, il récite tout haut la formule et disparaît.

Son retour sur la passerelle soulève l'enthousiasme de ses compagnons. On le presse de raconter son périple.

— Trouvé passage. Trois hérons. Pas de message.

— Des hérons ? Sur Thalassa ? Mais c'est impossible, Zep, ils sont tous sur Terre à présent, s'inquiète Cyrille. Essaie de les décrire.

Le petit homme se renfrogne et lui répond :

— Hérons comme hérons.

Puis il éclate en sanglots. S'il est une chose que Zep déteste, c'est de ne pas être cru. Cela le choque. Et quand il est choqué, il pleure. Et quand il pleure, plus moyen de rien en tirer. Heureusement, Marylène sait comment le consoler. Elle le prend par la main et l'entraîne à l'écart. À force de douceur et de cajoleries, elle parvient à calmer Zep et à le faire parler. Puis elle le congédie :

— Va te reposer, maintenant. Tu as bien travaillé.

— Retournons chez moi, propose Cyrille.

○

Sur Terre, le groupe se reforme dans la maison du sourcier. Sur Thalassa, Nautonier arrive à proximité de la pierre rouge qu'il surveille quotidiennement. Il est fort surpris de découvrir qu'elle a perdu beaucoup de sa grosseur et que trois échassiers la côtoient. Les hérons, voilà au moins une chose que le gardien des canaux connaît. Il sait aussi que ces oiseaux ont été bannis à jamais de la sphère d'eau.

— Que faites-vous là ? Votre place est sur la Terre.

Aussitôt, les trois intrus se jettent sur la pierre et y disparaissent, lui rendant sa taille initiale avant qu'elle ne s'efface à son tour.

— Bon débarras, grommelle-t-il instinctivement.

Nautonier est un routinier. Le changement le dérange. Pourtant, il commençait à s'habituer à la présence de l'insolite caillou. À bien y penser, sa disparition est, elle aussi, une nouveauté. Il n'en faut pas plus pour qu'il se précipite dans la salle du rapport.

○

Cyrille n'aime pas la tournure que prennent les événements. Surtout quand il se met à puiser dans son immense mémoire. Ses connaissances lui viennent du vieil Horace. Ce magicien, qui occupait le poste de maître de bief avant Marc Hautbuisson, lui a transmis certains pouvoirs, et surtout une excellente maîtrise de la radiesthésie. Quant aux mondes parallèles, ils n'ont plus de secrets pour lui, même si ce savoir reste fort théorique.

— Je n'aime vraiment pas ça du tout, répète-t-il pour la troisième fois. Ces hérons rencontrés sur Thalassa confirment ce que je craignais ; il y a quelque part une fissure entre la sphère d'eau et un autre monde.

— Les hérons n'ont-ils pas simplement décidé de retourner sur Thalassa ? risque Jonathan.

28

— Non, certainement pas. Parce que ces hérons-là, selon le peu que nous en a dit Zep, ne sont justement pas des hérons, mais des Métamorphes. Ce terme vague désigne des êtres qui ne possèdent aucune forme fixe. Ils peuvent se transformer à volonté selon l'apparence qui leur semble la plus adaptée au milieu dans lequel ils évoluent.

— Mais pourquoi ont-ils choisi d'incarner des hérons, alors, puisque ces oiseaux ont tous déserté Thalassa ? s'étonne Élyse.

Cyrille poursuit alors un inquiétant exposé. Les Métamorphes sont des explorateurs et des conquérants. De plus, ils sont télépathes. Ils peuvent lire dans l'esprit de n'importe quel être et puiser deux choses dans ses souvenirs. D'abord, la forme qu'il convient d'adopter pour passer inaperçu. Ensuite, le langage local qu'ils assimilent et copient selon leurs besoins. Tout cela explique leur changement de forme en présence de Zep. Ils ont abordé Thalassa sous la forme d'une pierre. Comme le souvenir des hérons est encore vif, là-bas, ils ont imité, avec certaines erreurs, l'apparence de ces oiseaux. Voyant l'étonnement de Zep, ils ont puisé dans les pensées du petit homme les détails qui leur manquaient pour ajuster leur apparence. Des plumes, la couleur bleue, le nombre de pattes réduit à deux.

Ensuite, ils ont fait une recherche éclair pour assimiler le langage de Zep afin de pouvoir le questionner. Et le gnome, gentiment, leur a dévoilé, démonstration à l'appui, comment passer de Thalassa à la Terre. Le pire est à prévoir, car ces êtres extrasphérestres n'ont qu'une hâte lorsqu'ils s'infiltrent dans un autre univers : en faire l'exploration, puis la conquête.

— Il faut retourner au rocher gris, conclut Cyrille, et intercepter les Métamorphes dès qu'ils montreront le bout du nez.

— Mais que ferons-nous s'ils arrivent ? coupe Jo.

— Je n'en sais rien. La seule chose qui soit à notre portée est de tenter de parlementer. Avec la plus grande prudence, car les Métamorphes sont des combattants redoutables. Ils ont la réputation de n'avoir jamais connu la défaite.

○

Pendant que Cyrille met ses compagnons en garde contre la menace des envahisseurs, ceux-ci ne restent pas inactifs. La pierre rouge, dont ils ont pris la forme pour pénétrer sur Thalassa, a suivi l'exemple de Zep et s'est empressée de franchir à son tour le passage du gros rocher gris.

Les extrasphérestres sont sur Terre.

○

Cyrille a voulu être seul pour affronter l'éventuel danger des intrus. En approchant du rocher gris, il se rend compte qu'il arrive un peu tard. Une foule d'hommes de petite taille a déjà franchi la passerelle et se fige en voyant le radiesthésiste.

Ce dernier comprend tout de suite à qui il a affaire en considérant les arrivants, qui doivent être au nombre de quinze ou seize. Ils ressemblent tous comme des frères à Zep Gradu. Bien sûr, ils affichent des différences dans la taille, la corpulence ou la couleur des cheveux, mais ils sont tous des copies presque conformes du petit homme.

Cyrille lève la main en signe de paix. Chose curieuse, plusieurs Métamorphes, tout en reproduisant son geste, grandissent et prennent l'allure de leur vis-à-vis. Le doute n'est plus possible quant à l'identité des visiteurs.

— Je sais qui vous êtes, lance Cyrille d'une voix qu'il souhaite rendre agréable. Si vous cherchez quelque chose sur la Terre, je peux vous aider.

Les Métamorphes se regroupent en cercle serré pour se concerter dans un curieux caquetage, tandis que Cyrille se concentre pour ne penser à ses visiteurs qu'en termes amicaux.

L'un d'eux s'avance.

— Je crois que vous nous craignez. Faut pas. Nous pas vous agresser.

Ces phrases comportent encore des reliquats de la syntaxe de Zep, mais se sont déjà enrichies du vocabulaire de Cyrille. En même temps, ce dernier constate que ces renseignements proviennent de lui-même, en dépit des efforts qu'il a déployés pour garder son esprit impénétrable.

Il en déduit avec frayeur que les étrangers lisent dans ses pensées.

Inutile, donc, de feindre avec ces gaillards-là. Il n'y a pas d'autre choix que de composer. Il s'y efforce, malgré une immense fatigue qui l'a saisi depuis peu et qui ne fait que s'aggraver.

— Je m'appelle Cyrille, mais vous avez dû le lire dans mes pensées, Métamorphes, et je ne tenterai rien pour vous tromper. Dites-moi ce que vous cherchez et je vous aiderai à le trouver.

Celui qui doit être le chef réplique dans un français qui se raffine :

— Ne nous appelez pas Métamorphes. Nous sommes Néblis. Nous ne vous attaquerons que pour nous défendre. Nous avons les moyens de vous détruire.

— Je vous conseille la prudence, Néblis. Moi, je ne vous veux aucun mal, mais certains habitants de cette sphère pourraient se montrer agressifs.

Voyant un certain flottement dans les rangs des Néblis, Cyrille s'efforce d'alimenter le dialogue.

— Écoutez, messieurs, je vous invite chez moi en toute amitié. Prenons un café ensemble et discutons tranquillement de vos projets.

— Qu'est-ce que le café ?

— N'en avez-vous pas lu la description dans ma tête ?

— Si, mais quel est l'intérêt de faire pénétrer un liquide chaud dans votre corps ?

— C'est une pratique conviviale chez les humains, et elle nous procure un certain plaisir.

— Conviviale ? Plaisir ?

— Je vous expliquerai tout cela. Au fait, comment vous appelez-vous ?

— Je vous l'ai dit. Nous n'avons qu'un nom, tous ensemble : Néblis.

Un nouveau conciliabule s'engage entre les intrus dont les silhouettes continuent à se modifier, à mesure qu'ils puisent des images dans l'esprit de Cyrille. Il commence à y en avoir de toutes les tailles. Leur groupe comprend maintenant des femmes et des enfants. Le même Néblis s'avance de nouveau. Mais est-ce vraiment le même ? Il a tellement évolué depuis le dernier échange.

— Cyrille, nous refusons votre offre. Nous avons quelque chose à trouver ici et allons nous lancer immédiatement dans notre recherche. Prévenez vos semblables de ne pas s'opposer à nous.

— C'est que nous sommes plusieurs milliards ; il faudra beaucoup de temps pour que toute la sphère soit informée de vos intentions pacifiques.

— Nous avons d'excellents moyens de dissuasion.

Cela dit, les Néblis disparaissent. Que sont-ils devenus ? Des bactéries ? Des acariens microscopiques ? Des maringouins ?

Cyrille ressent brusquement tout le poids de sa lassitude, en même temps qu'il se découvre libéré d'un grand poids. Il ne s'était pas rendu compte que, pendant toute sa conversation avec les Néblis, ils exerçaient une forte pression sur son mental. Ils viennent de l'en libérer en coupant court à la rencontre.

Il a tout de l'esclave qui a porté toute la journée un fardeau inhumain et s'en trouve délivré. À la fois soulagé et épuisé.

Le soir tombe quand le sourcier regagne sa ferme, le dos rond, et retrouve Marylène, Élyse, Jonathan et Marc. Il lui semble que le chemin a été bien long entre le gros rocher gris et sa maison. Tous sursautent en l'apercevant.

— Cyrille ! s'écrie Marylène, tu les as rencontrés ? Qu'est-ce qu'ils t'ont fait ?

— Rien de mal. Je suis juste un peu fatigué.

— Un peu fatigué ? Mais tu ne t'es pas vu !

Marylène, en pleurs, se jette à son cou, puis s'écarte de lui, le palpe, comme pour s'assurer que c'est bien son Cyrille qui est là, devant elle.

— Écoutez-moi : d'accord, je suis TRÈS fatigué. Pour tout dire, je me sens comme un citron pressé. Maintenant, puisque vous me trouvez si changé, vous allez m'attendre ici, et moi, je vais aller me contempler dans un miroir.

Il pénètre dans la salle de bains, hésite une seconde à allumer la lumière, se résigne. Le spectacle a de quoi effrayer. Cyrille a vieilli. Son visage amaigri s'est creusé de rides. Des cernes soulignent son regard. Ses cheveux et sa moustache ont pâli et pendent, ternes, sur une figure qui a perdu toute rondeur. Il constate que ses vêtements ont l'air trop grands et il resserre sa ceinture d'un cran. Cela lui donne l'idée de se peser : il a perdu au moins dix kilos.

Il revient auprès de ses compagnons et pose la main sur l'épaule de Marylène.

— Eh bien, ma chérie, il va falloir que tu t'habitues à vivre avec un vieux !

Cette triste tentative d'humour ne fait rire personne. Cyrille se ressaisit et se dépêche de prendre la parole avant d'être assailli par un flot de questions et de commentaires auxquels il n'a nulle envie de répondre.

— Ne vous inquiétez pas pour moi et parlons de ce qui est important.

Le sourcier a tiré quelques informations précieuses de sa mésaventure et il lui tarde de les partager.

Les Néblis sont dangereux car, visiblement, ils accaparent l'énergie de ceux à qui ils s'adressent. Il est impossible de se soustraire à leur emprise mentale, donc inutile de leur mentir ou d'essayer de leur tendre un piège. D'autant plus qu'ils ont appris le français en quelques secondes.

Ils ne sont pas agressifs, mais peuvent le devenir si l'on s'oppose à eux.

Quelle sera leur puissance en cas de conflit ? Difficile à mesurer pour le moment.

Ils ignorent le geste de boire. Mangent-ils, ou se contentent-ils de parasiter la vitalité des êtres qu'ils rencontrent ?

Ils ont pourtant des faiblesses. En premier lieu, ils ne peuvent s'empêcher de changer de forme continuellement, ce qui permettra de les repérer. Sauf s'ils se rendent invisibles, bien entendu. Par ailleurs, ils sont déconcertés par toute idée échappant à leurs mœurs. Comme celle de prendre un café. Ils n'ont aucune connaissance de la convivialité et du plaisir. Ils n'ont aucune conscience individuelle, puisqu'ils se désignent par un terme générique, sans posséder de nom personnel.

Reste à savoir ce qu'ils sont venus chercher sur la Terre.

— Qu'allons-nous faire? demande Marylène, découragée.

— Dans l'immédiat, je ne vois qu'une attitude à adopter : leur donner satisfaction en prévenant le monde de leur invasion. Se mettre à l'ordinateur et explorer tous les moyens de rendre la nouvelle publique dans le monde entier.

— Avec les canulars qui circulent régulièrement sur le Net, personne ne nous croira, objecte Jo.

— Je le sais bien. Mais les incrédules céderont vite devant une démonstration de force. Il y aura peut-être des victimes, mais qu'y pouvons-nous?

Élyse s'empresse d'endiguer le pessimisme qui gagne du terrain :

— En attendant, il y a une chose que nous pouvons faire. Renvoyer Zep sur Thalassa, puisqu'il s'est laissé distraire de sa mission par les Néblis. Cette fois, je propose qu'on le charge d'un message à remettre en mains propres au sphérarque. Nous lui communiquerons tout ce que nous savons de l'invasion et, en revanche, nous lui demanderons de nous exposer la situation dans le monde des sphères. Et d'appeler les maîtres des sphères, Noûs et Nochée, à la rescousse.

— Bien dit, approuve Jonathan. Divisons-nous le travail. Je me charge du message à remettre à Marabout XVIII. Pendant ce temps, Élyse s'occupe de transmettre la nouvelle aux médias avec des recommandations précises : ne pas s'opposer aux Néblis et même éviter le contact avec eux. Marylène, elle, fera la leçon à Zep afin qu'il ne se trompe plus. Quant à Cyrille, quelques heures de sommeil lui feront le plus grand bien.

— Programme accepté, bâille le sourcier.

Chapitre 3

Curieux personnages, que ces Néblis. Il faut croire que, parmi leurs inquiétants pouvoirs, ils possèdent celui de la téléportation. En effet, une seconde après avoir quitté Cyrille, ils sont au village de Bois-Rouge, dont ils ont découvert l'image dans l'esprit du sourcier. Que peuvent-ils rechercher en ce lieu, pour s'y être ainsi précipités ? Leur groupe reprend consistance au centre du village et gagne la pénombre de la cour du presbytère. Ils semblent indécis, se tournent dans tous les sens. Comme le ferait une meute de prédateurs qui hume le vent en quête d'une proie.

Et puis, d'un commun mouvement, ils se mettent en marche. La nuit est tombée et ils attirent peu l'attention des rares passants. Leurs mouvements deviennent nerveux et ils échangent des sons ressemblant au caquetage d'un poulailler. Ils s'arrêtent brusquement devant le terrain qui entoure la maison de Léo Brochu dit «la taupe» en raison de la quantité de trous qu'il a réussi à creuser autour de chez lui lors de la récente ruée vers l'or de Bois-Rouge. Léo était le plus acharné. Le dernier à creuser quand tous les autres avaient accepté l'évidence : Zep avait déniché les deux seules pépites d'or qu'il y avait à trouver.

Il en est resté un peu fou.

Trop d'espoir, trop de passion, trop de déception.

Les Néblis ont ressenti la démence de l'ancien prospecteur endormi à cette heure tardive. Léo ne s'est jamais remis de la ruée et ses rêves continuent à être dorés. Mais les envahisseurs ne savent pas ce qu'est le rêve. Ils ne connaissent que la réalité. Quand ils perçoivent de puissants courants de pensée dont le sujet est l'or, ils tiennent pour acquis que le fabuleux métal est là, à leur portée. Nul doute que l'or est la chose la plus désirable en ce monde. Où se trouve-t-il, exactement ? Les songes du dormeur associent trois choses : l'or, son terrain et l'action de creuser.

Les Néblis se mettent donc à fouiller le sol. Ils le font avec une singulière efficacité, sans aucun outil. Ils se sont transformés pour la circonstance, et leurs mains, devenues comparables à des pelles, plongent dans la terre et la retournent avec une incroyable facilité. Le manque de place les oblige bientôt à évacuer leurs déblais sur le terrain voisin. Ils ont déjà mis à nu les canalisations d'aqueduc et d'égout, ainsi que les fondations de la maison, lorsque le propriétaire, réveillé par le bruit, met le nez à la fenêtre. Il charge son fusil de chasse, jaillit sur la galerie et tire un coup en l'air pour capter l'attention des Néblis.

— Qui vous a permis de creuser chez moi ? Rebouchez-moi tout ça. Le premier qui essaie de se défiler, je le descends ! ajoute-t-il en pointant son arme.

Il n'a pas le temps de menacer davantage. Un intense rayon lumineux jaillit du groupe. Léo Brochu s'enflamme comme une torche, se consume et s'effondre en un petit tas de cendre. Même son fusil se trouve réduit à quelques grains de poussière.

Les Néblis viennent d'accomplir la première démonstration de leur force de frappe.

○

Zep est fort têtu, jusque dans le sommeil. Il se couche et se lève avec le jour. Le convaincre de repartir en mission a demandé bien de la persuasion et tout le charme d'Élyse et de Marylène. Le bonhomme finit par se lever en versant de chaudes larmes sur la cruauté du monde. L'instant d'après, il est frais comme une rose, contrairement à Cyrille, qui dort à poings fermés pour tenter de récupérer une partie de ses forces. Pourtant ils ont tous les deux subi l'emprise mentale des Néblis. Zep serait-il immunisé contre le vampirisme mental ?

Élyse et Marylène entreprennent de lui faire la leçon. Traverser vers Thalassa en portant le message qu'elles viennent de glisser dans la poche ventrale de sa salopette. Demander la salle du rapport sans se laisser distraire, quoi qu'il arrive. Remettre le pli en mains propres à Marabout XVIII ou à Ciconia. Attendre la réponse écrite et la rapporter.

Zep répète plusieurs fois, puis prend le chemin du gros rocher gris, sans arrêter de répéter son rôle.

— Continue jusqu'à ce que tu sois revenu, lance Marylène en guise d'adieu, tandis que Zep disparaît.

○

Un voisin a vu Léo Brochu se consumer et s'est dépêché d'appeler la police. L'agent Jérôme Boudrias, unique pilier des forces de l'ordre à Bois-Rouge, allume sa lampe de chevet et ouvre son portable. Le récit du plaignant achève de le réveiller.

— Ne me dites pas qu'ils ont recommencé à creuser des trous ? Et que cherchent-ils, cette fois, du pétrole ?

Jérôme est un gentil fonctionnaire replet et tranquille. Il ne porte jamais de pistolet, estimant que c'est trop dangereux. Il a raison : si un malfaiteur est armé, ce sera à qui tirera le premier. De temps à autre, il invite un suspect à prendre le café au bureau de police et lui explique en douceur qu'il n'y a pas grand-chose d'intéressant à voler à Bois-Rouge. Il appelle cela «faire de la prévention».

Chaque fois qu'un événement insolite se déroule sur son territoire, l'agent s'empresse d'en référer à Cyrille. L'expérience lui a appris que le sourcier n'est étranger à aucune bizarrerie.

Il envisage de l'appeler, se ravise, s'habille.

De toute manière, ma nuit de repos est fichue, alors autant y aller !

Un peu plus tard, il est reçu par un Cyrille en robe de chambre, bouffi de sommeil et particulièrement grognon. Marylène, qui vient de rentrer, prépare du café : la nuit risque d'être longue.

— Il y a encore des fous qui creusent, au village. Ils sont une bonne quinzaine. Ils possèdent une sorte de rayon de la mort avec lequel ils ont carbonisé Léo Brochu en deux secondes !

— Pauvre Léo ! Sa passion aura fini par l'anéantir. Au moins, ça nous donne une idée de ce que les Néblis recherchent.

— Léo était mon ami, avant qu'il devienne fou. Si je peux le venger…

— Non, Jérôme. Tout ce que tu réussiras à faire, c'est griller comme lui.

Cyrille résume la situation pour le policier. Les Néblis sont des envahisseurs dangereux et ils cherchent apparemment de l'or.

— Qu'est-ce que c'est que cette histoire ? Quand même pas une nouvelle ruée ! s'impatiente Boudrias.

Pour Cyrille, tout est clair. Léo Brochu est devenu fou en cherchant de l'or et ne pensait plus qu'à ça. Sa passion a contaminé les extrasphérestres et leur a mis en tête que l'or est la chose la plus désirable de la planète.

— Voilà un renseignement intéressant, conclut le sourcier. À mon avis, les Néblis ne savent pas vraiment ce qu'ils recherchent. Ils sont à l'affût de tout ce qui peut s'avérer précieux. Si Brochu avait rêvé de pois chiches, ils seraient en train d'en cultiver ! Ces extrasphérestres n'ont aucune pensée personnelle : ils empruntent jusqu'à la moindre de leurs idées. Et c'est grâce à cette faiblesse que nous pourrons les combattre.

— Et moi, qu'est-ce que je fais, là-dedans ? soupire Jérôme, complètement dépassé.

— La première chose est de prévenir le maire afin qu'il décrète l'état d'urgence.

Élyse est déjà en train d'avertir la population mondiale de ne pas s'approcher des Néblis.

○

Zep a mis le pied sur Thalassa et a bien récité sa leçon. Il a pris une grande inspiration avant de lancer :

— Salle du rapport !

Il se retrouve instantanément devant Marabout XVIII et Ciconia en grande discussion avec Nautonier. Les voix se taisent, les têtes se tournent. Zep reconnaît les sphérarques grâce à la description qu'Élyse et Marylène lui en ont faite.

— Bonjour. Prendre message.

Le petit homme sort de sa poche la lettre que Jo a rédigée et s'apprête à gravir les trois marches de l'estrade. Nautonier s'interpose.

— Il convient de dire : « Tu éclaires mon cœur » quand on s'adresse au sphérarque de Thalassa.

— Laisse, Nautonier ; il ignore les usages. Approche, petit. Donne-moi cette lettre.

Marabout et Ciconia prennent connaissance de la missive de leurs amis terriens.

Un grand étonnement se peint sur leurs traits.

— Mais qui es-tu donc, pour être capable de circuler entre les sphères alors que les passages sont fermés ? Serais-tu un gnome ?

Zep, décelant de l'admiration dans le regard de ses interlocuteurs, en déduit que « gnome » est un compliment. Il s'empresse d'acquiescer.

— Voilà qui explique ta présence parmi nous. Seuls les pouvoirs d'un gnome peuvent lui permettre de franchir les portes les mieux fermées ! s'exclame Ciconia, impressionnée.

Zep, très fier mais un peu intimidé d'être la cible de toute l'attention, se rappelle la suite de sa mission :

— Donner réponse pour Élyse et Marylène.

On n'écrit pas, sur Thalassa ; on utilise son mental avec la puissance que lui confère le menssana. Une feuille couverte d'écriture se matérialise dans les mains de Marabout, qui relit son texte à Ciconia. Cette dernière lui apporte mentalement quelques modifications et le papier, plié en quatre, va se loger dans la poche de Zep.

Lequel, pénétré de son rôle, prend immédiatement congé de ses hôtes :

— Gros rocher gris !

○

Enfin, des nouvelles ! Zep reçoit de la part de ses amis, rassemblés chez Cyrille, un des plus beaux accueils de sa vie. Certes, il s'avère que Marabout XVIII et Ciconia n'en savent pas plus que leurs voisins terriens. Le contenu de leur lettre en fait foi. Mais de savoir que l'isolement est rompu ressuscite plus d'un sourire.

Cyrille, qui pense rarement à lui-même, a pour une fois une idée opportuniste :

— J'ai hâte de pouvoir faire un tour sur Thalassa et de me faire désactiver un bon mois.

La désactivation est ce qui remplace le sommeil chez les habitants des autres sphères. En plus d'apporter un repos complet, elle permet d'effacer les effets du temps. Une excellente manière de rajeunir. Cela explique que certaines personnes y soient plusieurs fois centenaires tout en affichant l'éclat de la jeunesse.

Le maire de Bois-Rouge, Gaston Montendon, déteste les surprises, les réveils nocturnes, les étrangers et le désordre. Grande est sa fureur lorsque Jérôme Boudrias le tire de son lit pour lui annoncer qu'une bande d'inconnus dangereux est en train de ressusciter la ruée vers l'or.

Petit et chétif, le premier magistrat du village tente à chaque occasion de se donner de l'importance par ses colères, ses discours creux et ses semelles compensées. Comme beaucoup de complexés, il sort vite de ses gonds et en fait souvent trop.

— Qu'est-ce que tu as fait, agent Boudrias ? Tu les as appréhendés, je présume ?

— Non, monsieur le maire, ils sont nombreux et violents. Ils utilisent une espèce de rayon mortel, comme dans les films de science-fiction. Ils ont pulvérisé Léo Brochu.

— Rejoins-moi à l'hôtel de ville. Je vais te montrer comment on renvoie les intrus chez eux !

Les Néblis se trouvent bien désemparés. Au moment où la maison de Léo, minée sous ses fondations, commençait à prendre des airs penchés, ils ont réduit en poussière le maître des lieux. Et en même temps la source où ils s'abreuvaient de rêves dorés. Ils ne savent même plus ce qu'ils sont venus faire dans ce chantier.

Une autre chose les indispose : une certaine lassitude. Dans leur sphère d'origine, les Néblis, constamment exposés à de fortes radiations dans lesquelles ils puisent directement leur énergie vitale, ignorent la fatigue. Ils se rendent compte que l'atmosphère terrestre, en filtrant une grande partie du rayonnement solaire, les prive du plus gros de cette nourriture céleste. Par contre, ils ont appris, en vidant Cyrille d'une bonne part de son énergie, qu'ils pouvaient ainsi reconstituer la leur. Ils vont donc pouvoir survivre en siphonnant leur force aux habitants de la Terre.

Mus par un instinct auquel ils obéissent sans le contrôler, ils sortent de l'excavation et gagnent la rue Principale.

Le maire Montendon, que Jérôme a rejoint, quitte avec lui l'hôtel de ville pour aller constater les dégâts. Il voit venir à sa rencontre une bande d'individus qu'il ne connaît pas et se trouvent aussitôt qualifiés de «louches».

— Attention, monsieur le maire. Ce sont eux, sûrement. Filons d'ici !

— Va te cacher si tu le veux, agent Boudrias. Quant à moi, il ne sera pas dit que j'aurai courbé l'échine et abandonné mon village aux mains des envahisseurs !

L'héroïque magistrat bombe son maigre torse, se dresse du haut de ses cent quarante-huit centimètres et dévisage, impavide, les étrangers qui se sont rapprochés.

— Au nom de la loi, je vous arrête ! lance-t-il. Suivez-moi sans opposer de résistance.

Les Néblis figent, se concertent, et l'un d'entre eux s'avance d'un pas.

— Écartez-vous et nous ne vous ferons aucun mal.

— Vous croyez m'impressionner ? Je veux bien parcourir la Principale tout nu si vous faites un pas de plus !

Et les Néblis, lisant dans la pensée du maire, comprennent que c'est bien là la conduite à adopter. Ils font un pas. Montendon se retrouve inexplicablement dévêtu, prend ses jambes à son cou et déguerpit en direction de l'édifice municipal.

Il ne saura jamais que, s'il n'avait pas proféré cette fanfaronnade, il aurait sans doute été la deuxième victime du rayon incendiaire. Ce qui l'inquiète soudain est qu'il se sent vidé de son énergie. Pour tout dire, il a eu toutes les peines du monde à regagner son bureau.

Caché derrière une haie, Jérôme Boudrias a enregistré la scène et en tire une prudente leçon. Ces gens-là sont capables d'exercer une sorte de magie. Donc, pas question d'aller s'y frotter. Le premier appel qu'il ressent est celui du devoir : aller réconforter son supérieur. Mais une saine logique lui conseille plutôt de retourner chez Cyrille pour compléter ses informations.

Avant de partir en guerre, il importe de connaître l'adversaire. Le manuel de l'école de police est formel sur ce point.

Jérôme se faufile par des passages que d'habitude seuls les chats empruntent, embarque dans sa voiture de police et sort en hâte du village.

Pendant ce temps, Gaston Montendon puise dans sa colère le courage de surmonter sa fatigue.

D'abord s'habiller. Il descend au sous-sol et débouche dans le garage municipal où est remisé le camion des pompiers. Le veilleur de nuit est arraché à sa somnolence par la nudité du premier magistrat. Il l'aide, en fouillant dans les uniformes, à trouver un pantalon et une chemise non pas à sa taille, mais qui pourront rendre le gringalet moins indécent.

Plus ridicule encore que d'habitude.

De retour à son bureau, le maire convoque le conseil municipal pour une réunion d'urgence. De quoi vont-ils parler ? Il n'en sait rien, mais il ne supporte pas d'être sur la brèche quand les élus du peuple dorment à poings fermés. Cela fait, il appelle l'agent Boudrias qui lui répond qu'il enquête, à la recherche de nouvelles données pouvant amener les forces de l'ordre à triompher de l'ennemi.

Le maire raccroche avec rage et lance un appel alarmant à la police provinciale. On lui répond avec un humour teinté d'ennui :

— Une nouvelle ruée vers l'or ?

Montendon s'efforce de rester calme, détaille la situation telle qu'il la voit. Des inconnus ont pris possession du village, l'ont dépouillé de ses vêtements et ont assassiné un de ses citoyens.

À l'autre bout du fil, un gloussement de rire, vite maîtrisé, enchaîne sur une question :

— Qu'est-ce que vous avez bu au souper, monsieur le maire ? Et surtout, combien ?

Il s'ensuit un flot de menaces concernant la carrière du policier. Lequel promet en bâillant d'envoyer quelqu'un.

Chapitre 4

Les Néblis seraient profondément déçus s'ils s'avéraient capables d'un quelconque sentiment. Ils ont peut-être été attirés sur la Terre parce que les humains rêvent à peu près tous à une chose qu'ils ne possèdent pas. Il n'en fallait pas davantage pour que les envahisseurs se mettent à rêver à leur tour. Cependant, ils ne peuvent y arriver par eux-mêmes, car ils ne le font que par l'intermédiaire de la personne dont ils parasitent la pensée. Ils viennent de l'expérimenter après avoir anéanti Léo Brochu, ce qui les a en même temps privés de l'objectif de leur quête.

Stimulés par l'inconfort de la situation, les voilà qui se mettent à la recherche d'un autre fantasme. Ils se concertent comme ils le font chaque fois qu'ils perdent leur raison de vivre. Le petit homme énervé qui les a mis en demeure de le renvoyer tout nu n'avait qu'un désir : les voir disparaître. Ce qui est incompatible avec l'instinct de survie fortement ancré en eux.

Ils se retournent d'un bloc. Un délicieux effluve de passion leur parvient. Un individu s'approche de leur groupe. Ils rectifient leur apparence afin d'avoir l'air le plus anodins possible.

Le bonhomme qu'ils croisent s'avère tout aussi quelconque et s'avance d'un pas traînant, habité par une véritable hantise. Un des Néblis se détache du groupe et va à sa rencontre. Il lit dans sa pensée que l'homme s'appelle Osias Boisvert.

— Cherchez-vous quelque chose d'important, Osias Boisvert ? demande l'extra-sphérestre en plissant sa bouche comme il l'a vu faire quand un humain veut se montrer affable.

Ce sourire contrefait porte Boisvert à la confidence.

— Tu parles, que je cherche quelque chose. Mais toi, qui es-tu ? Tu n'es pas de la paroisse, je me trompe ?

58

— Non. Je m'appelle Néblis.

L'expérience lui a appris qu'il ne faut pas poser de questions du genre : « Qu'est-ce que la paroisse ? » afin de ne pas paraître étranger, ce qui pourrait lui attirer de la méfiance.

— Eh bien, mon cher Néblis, je t'avouerai que j'ai une soif d'enfer. Je suis le bedeau, vois-tu, et le curé ne me donne ma paie que le dimanche soir, pour m'empêcher de prendre un petit verre le samedi. Il prétend que je n'ai pas toute ma tête le lendemain à la première messe. Un samedi soir sans aucun réconfort, tu veux que je te dise ? Ce n'est pas chrétien de m'imposer ça !

Les Néblis ont appris que les humains ont besoin d'eau pour vivre. Et certains autres de café. Ils en versent régulièrement dans leur organisme. Cette coutume bizarre leur inspire une réponse :

— Si j'avais de l'eau ou du café, je te l'offrirais volontiers.

— De l'eau ! Mais d'où sors-tu, toi ? Je vais te faire une petite mise au point, l'ami. L'eau, j'y suis allergique !

— Je te prie de m'excuser. Je pensais…

— Pense plutôt à une bonne petite bouteille de scotch, et tu seras tout pardonné.

— Où trouve-t-on le scotch?

— Eh! Mais dis donc, tu arrives de la planète Mars? À la Société des alcools, bien sûr. Mais c'est fermé à cette heure. Et à l'épicerie, ils ne me donneront même pas une petite bière. Ordre de monsieur le curé. Même chose au bar.

Le porte-parole des Néblis lutte de tout son être pour assimiler tous ces concepts nouveaux auxquels il ne comprend rien. La seule chose dont il soit désormais convaincu est que le scotch est ce qu'il y a de plus désirable au monde.

— Montre-moi où est le scotch, Osias Boisvert.

— Je veux bien, pour te faire plaisir, parce que tu as l'air d'un bon bougre, mais à quoi ça nous avancera-t-il?

— Tu ne seras pas déçu.

— Tu vois l'enseigne qui est éteinte, au coin de la rue? C'est écrit SAQ. C'est là que se trouve le scotch.

Le Néblis enregistre rapidement les trois lettres mentionnées et lui demande de l'attendre quelques instants. Il se dirige vers

60

le groupe de ses congénères. Osias le hèle de loin :

— Hé ! Néblis ! Si tous ces gens-là sont tes copains, une bouteille ne suffira pas. Avec une par personne, on ne va pas s'ennuyer.

Tandis que le groupe leur fait un paravent, deux Néblis disparaissent, se rematérialisent dans l'entrepôt de la succursale, reviennent portant chacun une caisse du produit demandé.

Osias Boisvert, dont les paroissiens épellent le nom «Boit-verre», est aux anges. Il n'a jamais eu, de sa vie, autant de boisson à sa portée.

— Alors vous, vous êtes de vrais amis. Ce que vous avez dans les mains est la plus belle chose que le bon Dieu ait créée. Suivez-moi, je connais un petit coin tranquille, dans le parc au bord de la rivière. On va pouvoir déguster ce nectar à l'abri des empêcheurs de danser en rond.

Les Néblis, qui arrivent à peine à emmagasiner les nouvelles données que ce bavard de Boisvert leur assène sans relâche, prennent le parti de suivre le bedeau sans émettre de commentaire. Ils pénètrent donc dans le parc municipal où de nombreux bancs pourraient les accueillir tous, s'ils n'étaient fâcheusement éloignés les uns des autres. Les extrasphérestres captent la pensée de Boisvert et, en une seconde, font en sorte que tous les bancs du parc se retrouvent en cercle sur une pelouse entourée d'érables dont l'ombre offre une protection contre l'indiscrétion du lointain éclairage urbain. Osias, dont la proximité du whisky aveugle déjà le jugement, ne songe même pas à s'étonner de cet étrange tour de magie.

○

Cyrille, qui a passé la journée au lit, a toute l'apparence d'un vieillard. Il a cependant fait l'effort de convoquer ses voisins pour une nouvelle réunion au sommet.

Une chose le préoccupe : Zep a rencontré les Néblis et n'en a subi aucun vieillissement. Même pas une légère fatigue. Alors que lui-même a pris dix ans d'âge. Sinon vingt.

Il est dix heures du soir. Zep est couché depuis longtemps. Cela permet d'analyser son cas, et surtout ses facultés, sans que l'intéressé soit là pour brouiller les cartes.

D'après la lettre de Marabout XVIII, Zep serait un gnome. Ce qui expliquerait bien des mystères entourant sa petite personne. Il a le pouvoir de circuler d'un monde à l'autre même quand les passages sont verrouillés. Il peut subir le vampirisme mental des Néblis sans vieillir prématurément. Ces belles qualités finissent de convaincre Cyrille : Zep, que tous ont toujours considéré comme un arriéré, est effectivement un gnome.

Pour le sourcier, la situation devient beaucoup plus claire. Les gnomes : enfin une réalité qu'il connaît !

Les gnomes sont des êtres nés de l'imagination humaine et qui ont pris vie parce que les hommes croyaient en eux. Comme les djinns du monde arabe.

Le propre d'un gnome est de se nourrir de cette croyance, justement. Or Zep a toujours été victime du mépris des gens de Bois-Rouge, qui l'exploitaient avant que Cyrille et Marylène le mettent à l'abri de leur méchanceté.

Un gnome n'est rien tant que l'imagination humaine ne lui a pas insufflé des pouvoirs. Son amour pour Élyse et Jonathan lui a jadis permis de franchir les frontières de l'inaccessible Pays des Dunes. Et maintenant, la confiance de ses amis lui a valu de forcer par deux fois le passage fermé entre la Terre et Thalassa.

○

Au parc municipal, la situation se corse. Les Néblis, persuadés d'être enfin en présence de la chose la plus désirable, attendent prudemment qu'Osias Boisvert débouche la première bouteille. Le bedeau hume le fumet du liquide tant convoité, émet un soupir d'aise qui conforte les extra-sphérestres dans leur conviction d'avoir enfin trouvé l'objet de leur quête.

Les Néblis, qui ne mangent ni ne boivent, se nourrissent de l'énergie qu'ils puisent autour d'eux. Celle des êtres vivants, celle des minéraux, celle que les étoiles irradient à l'infini… Ils ignorent donc le geste de faire pénétrer un liquide, quel qu'il soit, à l'intérieur de leur organisme.

Osias approche le goulot de ses lèvres et se met à déguster. Les Néblis, croyant venu l'instant de la révélation suprême, s'empressent de déboucher chacun leur bouteille. L'extase qui les tient les empêche de voir que le bedeau sirote à petites gorgées. Ils vident chacun leur «quarante onces»!

La suite est assez confuse.

Les Néblis, soudain pris de folie collective, se mettent à changer de forme, offrant à leur compagnon de beuverie le spectacle d'un singulier ballet où se mêlent des hérons à trois pattes, des humains de tout âge et de tout sexe, des monstres inimaginables et pourtant bien réels. Osias Boisvert se jette à genoux et supplie le Seigneur de lui pardonner son ivrognerie.

Ça y est! Il est en proie au *delirium tremens*! L'avant-dernière étape de l'éthylisme, à laquelle succèdent, en cas de persévérance alcoolique, le coma et la mort. Osias, qui vient quand même d'absorber la moitié d'une bouteille, sent monter en lui une ivresse que, pour la première fois de sa vie, il regrette. Il parcourt le chemin menant à son logis en s'appuyant aux clôtures, et même à quatre pattes quand rien d'autre ne peut soutenir son ébriété grandissante.

Il arrive chez lui.

Sa femme le reçoit, méprisante.

— Tu as encore trouvé un truc pour te soûler le samedi soir! Regarde dans quel état tu t'es mis: on dirait une épave!

— Oui, chérie, je te le confesse. C'est la dernière fois. Je te le jure !

Lucette, qui n'en est pas à un serment d'ivrogne près, hausse les épaules et jette avec résignation une couverture et un oreiller sur le canapé du salon.

○

Zep se lève avec l'aube et, selon sa bonne habitude, se rend chez Élyse et Jonathan attendre son petit déjeuner.

Ce matin, le programme est changé.

— Tu déjeunes chez Marylène, lui annonce Élyse.

Le gnome, que rien n'étonne, n'émet aucun commentaire et se soumet à la nouvelle consigne. Il sort, longe la Rivière-aux-Souches jusqu'au barrage et pénètre chez Cyrille et Marylène.

Cette dernière est au téléphone, le visage préoccupé.

— Justement, voilà Zep, déclare-t-elle à son interlocuteur. Je te laisse et je lui en parle.

Elle se tourne vers le petit homme et le fait asseoir pour le mettre au courant des derniers rebondissements que Jérôme vient de lui communiquer.

Les Néblis gisent dans le parc public de Bois-Rouge. Dès que quelqu'un les approche, ils émettent leur rayon de la mort. Heureusement, ils le projettent en tous sens sans même avoir l'air de se réveiller. Chose curieuse, ils changent de forme continuellement. Le maire a demandé l'aide de l'armée. Mais si les militaires arrivent, ils risquent de se faire massacrer.

Ce bel exposé ne passionne pas tellement Zep qui semble avoir autre chose en tête.

— Néblis trop bu scotch. Avec Osias Boisvert.

— Mais comment le sais-tu? Tu viens de te lever! Moi-même je viens tout juste de recevoir les nouvelles de Bois-Rouge. Et Jérôme ne m'a même pas parlé du bedeau.

— Zep sait.

Décidément, le petit homme a plus d'un tour dans son sac! Lui qui n'a jamais su compter, lire ni prononcer une phrase complète, voilà qu'il manifeste des facultés surprenantes! Marylène vérifie qu'il n'a pas glané ces renseignements auprès d'Élyse et de Jonathan.

Une évidence se fait jour en Marylène : Zep est resté en contact mental avec les Néblis.

— Zep, réfléchis bien avant de me répondre. Tu vois les Néblis dans ta tête ?

— Mais oui !

Visiblement, il ne comprend pas le bien-fondé de la question tant la réponse lui semble aller de soi.

Ce qui devient tout aussi clair est que Zep ne possède pas assez de vocabulaire pour décrire ses facultés mentales. D'ailleurs, comme rien ne le surprend et qu'il est modeste, il ne voit pas l'intérêt de faire étalage de ses dons.

— Autre question, Zep. Toi seul as le pouvoir de franchir les passages entre les sphères. Pourrais-tu y emmener quelqu'un ?

— Pas besoin.

— Oh si ! Cyrille en a bien besoin. Il a beaucoup vieilli depuis que les Néblis l'ont questionné. J'aurais voulu que tu l'emmènes se faire désactiver sur Thalassa pour une cure de jouvence. J'ai cru un instant que tu en serais capable.

Zep, qui commence à bâiller d'ennui devant toutes ces questions monotones, répète la réponse :

— Pas besoin.

— Mais enfin, Zep, essaie d'être un peu plus clair !

Le gnome considère son interlocutrice avec incompréhension, comme les adultes le font parfois avec un enfant qui pose des questions absurdes.

— Passage ouvert !

Depuis quelques minutes, le petit homme lance des regards implorants vers la cuisine. Marylène se rend compte qu'elle ne lui a pas encore offert son petit déjeuner. Elle secoue la tête pour remettre ses idées en place.

— Tu viens de nous faire franchir un très grand pas, mon petit Zep. Allons déjeuner, maintenant.

Chapitre 5

Marc Hautbuisson, qui rongeait son frein depuis le début de l'incursion des extrasphérestres, bondit de joie lorsque Marylène lui apprend que la porte de Thalassa est ouverte depuis que Zep l'a empruntée. Il espère, toutefois, que l'interprétation des réponses évasives de Zep soit exacte.

Mais le jeu en vaut la chandelle. Marc raccroche après avoir lancé :

— Je mets ma chaloupe à l'eau et je passe chercher Cyrille !

Le temps de franchir la Rivière-aux-Souches et d'aborder avec prudence le Rapide-à-Lampron, Marc escalade la berge et fait irruption chez Cyrille et Marylène.

La perspective de reprendre ses fonctions de maître de bief lui donne des bottes de sept lieues.

Son enthousiasme descend d'un cran quand il se retrouve en face de Cyrille. Le sourcier est devenu une épave. Il ne lui reste rien de son allure de colosse. Encore moins de son assurance. Il marche voûté et ses hésitations donnent à croire qu'il refuse l'aide d'une canne par fierté.

Zep, qui vient de déjeuner, profite de l'inattention provoquée par l'arrivée de Marc pour s'éclipser. Le maître de bief remarque son absence.

— Où est-il, notre petit gnome ? Je veux le féliciter de m'avoir rendu ma raison d'être.

— Oublie-le pour l'instant, Marc, marmonne Cyrille d'une voix éteinte. Tu sais bien qu'on ne peut contrôler un gnome.

— Mais non, Cyrille, je n'en sais rien, justement.

— Eh bien, tu le sais, à présent.

Quand Cyrille commence à grommeler des dialogues de sourds, tous savent qu'il est inutile de poursuivre la conversation. Le sourcier enchaîne pourtant :

— On y va ?

Marc lui prend le bras pour l'aider à descendre vers le cours d'eau et Cyrille, contre toute attente, accepte son aide. Faut-il qu'il soit diminué, pour reconnaître qu'il ne peut marcher seul ?

○

Zep a pris le chemin de Bois-Rouge. Dès qu'il met le pied dans le village, il ressent l'atmosphère d'angoisse qui y règne. Il préfère l'ignorer et porter ses pas vers le parc municipal où il sait pouvoir retrouver les Néblis. Il les voit, toujours prostrés, affectant les formes les plus biscornues. Les envahisseurs le laissent approcher sans déchaîner contre lui les feux du rayon de la mort.

Bien des Rougeboisiens, embusqués derrière leurs fenêtres, ont reconnu celui qu'ils appelaient naguère « l'idiot du village ». Ils sont fort surpris de constater que non seulement les Néblis ne l'anéantissent pas de leur foudre, mais qu'il les aide à se relever de leur hébétude. Bientôt tous les intrus sont debout. Tous ont pris une apparence semblable à celle du petit homme.

Pour la première fois, les Néblis abordent le dialogue avec une certaine humilité. Dans quelle tête ont-ils puisé cette attitude inattendue ? Dans celle de Zep, sans aucun doute.

Un des extrasphérestres s'avance, comme d'habitude, et prend la parole :

— Zep, nous savons que tu n'es pas notre ennemi. Pourquoi Osias Boisvert a-t-il voulu nous empoisonner ?

— Pas voulu. Osias sincère.

— Mais il nous a fait avaler un poison en prétendant que c'était la chose la plus désirable !

— Désirable pour lui.

Les Néblis ont acquis de leurs dernières expériences une faculté humaine indispensable sur cette sphère bizarre : la mémoire. Zep, toujours serviable, les a aidés à faire le point. Un rêveur nocturne leur a révélé que la chose la plus désirable était l'or, et il leur a même montré par quelle technique se le procurer. Échec.

Un autre leur a transmis sa passion personnelle : le scotch. Nouveau fiasco. Le Néblis se penche vers Zep et lui demande avec, pour la première fois, une lueur fiévreuse dans le regard :

— Zep, il faut que tu nous dises : quelle est la chose que tu souhaites le plus acquérir ?

Le gnome n'hésite pas une seconde :

— Rien du tout. Zep heureux comme ça.

Consternation dans les rangs des Néblis. Alors que les pensées humaines sont dominées par les convoitises les plus diverses, ce curieux personnage, le seul avec qui ils puissent échanger facilement, n'a envie de rien.

À force de questionner le gnome, les Néblis apprennent que l'or est désiré par bien des gens. Pourtant leur première expérience en ce domaine a été désastreuse.

— Normal, déclare Zep. L'or rend fou.

— Et le scotch aussi. Les humains ne recherchent-ils que des choses qui leur mettent la tête à l'envers ? Beaucoup pensent au pétrole. Qu'est-ce que le pétrole ? Où le trouve-t-on ?

— Sais pas. Pas ici.

○

Marc Hautbuisson, gonflé d'enthousiasme à l'idée de reprendre ses fonctions de maître de bief, emmène Cyrille à vive allure dans l'étroit chenal qui mène au gros rocher gris. Il a quand même la prudence de ralentir devant le passage. Il a aussi pourvu son embarcation d'un rembourrage devant l'étrave.

On ne sait jamais.

Pourtant tout se passe comme prévu. Il pénètre le roc sans la moindre résistance et se retrouve enfin sur les dalles bleues de Thalassa. Les deux passagers mettent pied à terre et se propulsent mentalement vers la salle du rapport.

L'accueil de Marabout XVIII et de Ciconia est tellement chaleureux qu'on en oublie, de part et d'autre, les formules de politesse exigées par le protocole. Le sphérarque se laisse même aller jusqu'à proférer un ou deux jurons sans que sa femme pense à l'en blâmer.

Ciconia, abandonnant toute étiquette, dédaigne l'austère estrade et fait apparaître une table ronde taillée dans une émeraude géante. Et de confortables sièges recouverts de duvettissu de la même couleur. Sur Thalassa, où tout est généralement bleu, le vert est la couleur de la liesse.

Les quatre personnes s'assoient autour de la table qui s'est couverte de rafraîchissements et d'amuse-gueules. La joie de

Cyrille s'est vite dissipée. Le pauvre sourcier n'en peut plus et tombe de sommeil. Marc apprend à ses hôtes qu'il a pris un sérieux coup de vieux en se faisant parasiter par les Néblis.

Ciconia le prend par le bras.

— Viens avec moi, Cyrille, j'ai ce qu'il te faut : une bonne cure de désactivation.

— Pas de refus, grommelle le sourcier avec une tentative de sourire. Désolé de vous abandonner, mais je ne vous servirais à rien dans mon état actuel.

Ciconia ouvre une porte d'eau, entraîne le vieillard vers ses appartements privés et l'installe dans une alcôve capitonnée agrémentée d'une couchette moelleuse.

— Une unité de désactivation accélérée, explique la sphérarque. Là-dedans, tu vas dormir si fort que dans quelques jours tu auras recouvré tout l'éclat de ta jeunesse.

Elle referme la porte sur Cyrille qui s'endort immédiatement.

○

Les Néblis commencent sérieusement à déchanter. À mesure qu'ils assimilent la nature humaine et s'efforcent de s'y conformer, ils vont de déception en déconvenue. Ils ont essayé de parasiter le seul qui ait un semblant d'équilibre dans ce monde dément : Zep. Mais le gnome s'est montré rétif à tout sondage. Les seules idées qu'ils peuvent lui dérober sont celles qu'il souhaite leur communiquer.

De guerre lasse, ils se lancent dans une recherche plus élaborée. En contactant mentalement plusieurs habitants de Bois-Rouge, ils en arrivent à une précision. La plupart associent sans hésitation le pétrole à un lieu qui se nomme Irak. Quelques extorsions mentales plus tard, ils laissent derrière eux une bonne dizaine de personnes vieillies prématurément et connaissent avec précision l'emplacement de cet endroit merveilleux où circule à profusion le produit hautement désirable.

Ils se rassemblent en groupe compact, se réduisent à l'apparence d'un gros caillou rouge, lequel ne tarde pas à disparaître.

○

Zep, n'ayant plus rien à faire au village, reprend le chemin de la Rivière-aux-Souches.

Marylène, qui n'attendait que lui, le hèle et l'entraîne vers le gros rocher gris.

— On va dire bonjour à Marabout et à Ciconia. Élyse et Jonathan sont déjà là-bas.

Le transfert vers Thalassa s'opère et Marylène, suivie de Zep, se précipite dans la salle du rapport. Une joyeuse compagnie est assemblée autour de la table d'émeraude. Mais Marylène n'a pas la tête aux retrouvailles.

— Comment va-t-il?

— Sois rassurée, lui répond doucement Ciconia. Dans dix jours tout au plus, Cyrille aura retrouvé ses forces. Nous devrons nous passer de sa sagesse et de ses connaissances pendant ce temps.

Les salutations d'usage sont expédiées. Un personnage important salue les nouveaux venus : Borée, la sphérarque d'Éolia, la sphère d'air, monde d'enthousiasme[3]. Une très belle femme d'âge mûr vêtue d'un long manteau d'aérofibre, le seul textile connu sur sa sphère. Cet accoutrement est assez inattendu sur sa personne, car Éolia est une sphère dont les habitants,

---

3. Voir *Héronia*, du même auteur, dans le même collection.

fiers de leur beauté, se promènent flambant nus.

Voyant l'étonnement ouvrir grands les yeux de Marylène, Borée y va d'une explication :

— Nous vivons nus, sur Éolia, mais le vêtement ne nous est pas inconnu. Surtout quand nous visitons nos voisins.

Une odeur de soufre précède un homme de haute stature vêtu de noir et parcouru de flammèches. Shaïtan, sphérarque de Pyra, la sphère de feu, monde de force voisin d'Éolia.

Marabout donne l'exemple en étreignant fraternellement l'arrivant, sans craindre de s'y brûler.

— Shaïtan, affreux diablotin ! Content de te revoir !

— Et toi, l'échassier, toujours à patauger dans tes canaux ?

On fait asseoir Shaïtan et Ciconia commente :

— Il ne manque plus qu'Horace.

— Horace va venir ? crient Élyse et Jonathan en sursautant de joie.

Horace, vieil ami de toujours, était maître de bief de la Rivière-aux-Souches avant de prendre sa retraite. Seule la rupture temporaire des communications a empêché que la nouvelle parvienne jusque sur Terre : Horace est maintenant sphérarque d'Électron, monde de sagesse, voisin de Pyra.

Horace ne tarde pas à rejoindre le groupe dans la salle du rapport. Les retrouvailles, si joyeuses qu'elles soient, se calment bientôt. Un vent de solennité vient de convaincre les neuf personnes présentes d'amorcer la conversation. Lorsque Marabout et Ciconia réunissent leurs invités autour de la fameuse table d'émeraude, c'est que des choses de toute première importance vont être dites.

On en revient, bien sûr, à l'invasion des extrasphérestres. Les sourires s'effacent, les visages deviennent graves, sauf celui de Zep, qui demeure empreint de la plus grande sérénité.

○

Une pierre de couleur rouge survole le désert à vive allure et ralentit soudain, détectant une présence humaine. Les Néblis se dégagent de leur véhicule habituel et prennent les formes humaines qu'ils ont copiées à Bois-Rouge. C'est donc un groupe de quinze humains aux vêtements fort variés qui s'approche de ce qui semble être un campement.

Un véhicule se détache du camp et s'avance vers le groupe à vive allure. Quatre hommes en jaillissent, portant des objets métalliques. Des armes, comprennent les extrasphérestres en sondant ce comité d'accueil.

— Les mains sur la tête ! Identifiez-vous.

Il faut aux Néblis quelques secondes pour déchiffrer leur premier message en langue américaine et assembler une réponse.

— Nous sommes des Néblis. Nous ne vous voulons aucun mal.

— Tu n'es pas le premier à le prétendre ! J'ai dit les mains sur la tête !

Les Néblis, ne comprennent pas la portée d'un geste aussi absurde. Mais ils savent à présent que les humains accomplissent à tout moment des choses aberrantes. Et comme c'est sans danger, ils prennent la position demandée. Sans doute une espèce de salut. L'attitude des hommes n'en devient pas moins agressive.

— Vous allez vous asseoir par terre en attendant que le camion vienne vous ramasser.

La jeep qui a transporté la petite patrouille s'en retourne vers le camp. L'homme qui a parlé jusqu'ici reprend un discours plein de haine. Les arrivants décèlent en lui une tentation très forte d'ouvrir le feu.

— Vous allez devoir expliquer clairement votre présence en zone militaire américaine, mes gaillards.

— Nous cherchons le pétrole.

— Pas très original ! Ce fichu pays en est pourri, de pétrole.

— Pourri ? Le pétrole n'est-il pas la chose que vous désirez tous ?

— La seule chose que nous désirons tous, ici, c'est de retourner aux États-Unis en un seul morceau.

Des hochements de tête des trois autres soldats apprennent aux Néblis que cette opinion est unanime. Nouveau dilemme ! Nouveau sondage dans le mental des quatre militaires qui sentent une immense fatigue s'emparer d'eux. Ils sont à deux doigts de s'endormir debout lorsque le camion demandé sort du camp.

Le chauffeur en descend et reste interdit devant le spectacle qu'il découvre : ses quatre compagnons d'armes, vieillis, voûtés et amaigris, tiennent à peine debout. L'un d'eux a lâché son arme, vacille quelques instants et s'effondre. Le chauffeur recule.

— Qu'est-ce que vous leur avez fait ? Guerre chimique ? bactériologique ?

— Rien de tout cela. Si nous voulions vous détruire, nous en avons le pouvoir.

— Dans le camion ! Et que ça saute !

— Vous voulez que ça saute ? Très bien.

Un bref rayonnement jaillit du groupe et le camion s'embrase. Le réservoir de carburant explose.

— Ne cherchez pas à nous contraindre ou nous vous détruirons, poursuit calmement le porte-parole néblis.

Le chauffeur a un réflexe de guerrier. Il saisit le fusil mitrailleur d'un de ses compagnons. Il n'a pas le temps de tirer. Un bref éclair le réduit en cendres.

Chapitre 6

Sur Thalassa, la table ronde a vite pris l'allure d'un conseil de guerre. La situation est complètement absurde. Les extrasphérestres recherchent une très belle chose mais ne savent pas laquelle. N'ayant aucune aspiration personnelle, ils puisent dans celles des gens qu'ils rencontrent et prennent dans leur tête le but de leur quête.

Et comme ils changent continuellement d'interlocuteurs, leur objectif se modifie, lui aussi.

De plus en plus, tous les espoirs se tournent vers Zep. En effet, le petit homme ne se laisse pas vampiriser par les Néblis et ne leur dévoile que ce qu'il veut. De plus, il peut les localiser où qu'ils aillent par contact mental. Ainsi, tous savent que les envahisseurs se trouvent en Irak, désirant du pétrole.

Une décision est prise : puisqu'il est le seul être auquel les Néblis ne peuvent nuire, le gnome se voit confier une tâche démesurée : contrôler les Néblis et les amener à regagner leur parasphère.

— L'un de nous pourrait l'aider en introduisant son menssana dans celui de Zep, suggère Élyse, pour qui cette technique n'est pas inconnue.

— Hélas ! non, intervient Shaïtan. Il est impossible de pénétrer dans le menssana d'un gnome.

— Je l'ai pourtant sondé, coupe Marylène, et j'ai perçu son menssana.

— Bien sûr, ajoute Borée, mais déceler un menssana et s'y introduire sont deux choses bien différentes.

— On pourrait peut-être poser la question à l'intéressé, coupe Jo, qui commence à trouver qu'on use à la légère de la bonne volonté du bonhomme.

Zep, qui pour une fois écoute la conversation, s'empresse de les éclairer :

— Personne entre dans tête à Zep. Zep suivre Néblis.

— Bravo! s'exclame Élyse. Tu es le seul à pouvoir nous aider. Accepteras-tu de partir en mission pour nous?

Le gnome acquiesce sans restriction, comme on pouvait s'y attendre. Cela apporte un certain soulagement. Mais aussi beaucoup d'inquiétude. Zep n'est pas un personnage facile à diriger. Il accomplit volontiers ce qu'on lui demande, mais ses initiatives sont parfois douteuses. Et il a une fâcheuse tendance à n'en faire qu'à sa tête quand il se trouve dans le feu de l'action.

Une opinion déterminante manque toutefois pour confirmer ce début de programme : celle de Cyrille, qui en a pour une dizaine de jours à récupérer. Horace comprend la situation et propose :

— J'ai légué mes pouvoirs et mes connaissances à Cyrille avant de quitter la Terre. Si vous le souhaitez, je peux reprendre sa place pour les jours à venir.

L'offre est reçue avec un enthousiasme général.

Horace reprend la parole pour soulever un dernier point obscur : que font Noûs et Nochée?

— J'ai tenté de les appeler à maintes reprises, déclare Marabout XVIII, mais en vain. À croire qu'ils font la sourde oreille.

— Tu ne devrais pas parler d'eux en ces termes, lui reproche Ciconia.

— N'empêche que s'ils daignaient se montrer, ils auraient vite fait de remettre les choses en place.

— Oui, approuve Élyse, mais c'est contraire à leur principe de respect du libre arbitre. Jamais ils ne joueront le rôle d'un humain dans une situation que cet humain peut dénouer lui-même.

— Élyse a raison, renchérit Jonathan. L'absence de Noûs et Nochée prouve bien que nous avons les moyens de nous en sortir.

Cet argument apporte un mince optimisme, mais ne convainc pas vraiment la tablée.

○

Après leur démonstration de force, les Néblis ont quitté les lieux en réintégrant la pierre rouge qui leur sert de véhicule. Ils parcourent une vaste région où ils perçoivent, dans la tête des gens, la présence du pétrole. Aucun, pourtant, n'a l'air enchanté de manipuler ce produit soi-disant merveilleux.

Leur sondage révèle que le pétrole circule dans de longs conduits qui sillonnent une partie de la région.

Ils ont tôt fait de localiser un de ces tuyaux et s'empressent d'y percer un trou. Il s'en écoule un jet d'une substance puante qui les laisse pantois.

Ils ont trouvé.

Mais que fait-on avec le pétrole? Le seul souvenir analogue qu'ils aient stocké dans leur banque de renseignements est celui du scotch, liquide lui aussi. Faut-il également faire pénétrer le pétrole dans leur organisme?

On dira ce qu'on veut des Néblis, mais ces êtres intrépides n'hésitent pas à payer de leur personne quand il s'agit d'expérimenter une nouveauté. L'un d'entre eux s'approche de la fuite qui commence à prendre la forme d'une petite mare. Il en aspire une gorgée. Comme les Néblis ne font qu'un, tous goûtent la saveur écœurante de ce liquide répugnant. Le scotch, à côté du pétrole, était délectable. La réaction des envahisseurs ne se fait pas attendre. Comme chaque fois qu'ils se sentent agressés, ils déclenchent leur rayon de la mort.

Le liquide répandu s'enflamme.

Les Néblis reprennent leur forme de pierre et disparaissent au moment où l'explosion secoue le paysage.

○

Les nombreux courriels qu'Élyse a lancés aux quatre coins du monde n'ont, en général, rencontré qu'un mur de scepticisme. D'un peu partout lui parviennent des messages criant au canular. Jusqu'à ce que la presse mondiale se mette à rapporter des faits inquiétants. Les journaux titrent lourdement en première page :

ARMES DE DESTRUCTION MASSIVE EN IRAK

DES TERRORISTES ASSASSINENT UN SOLDAT AMÉRICAIN

UN COMMANDO ARMÉ D'UN RAYON DE LA MORT

LES REBELLES FONT SAUTER UN PIPELINE

QUATRE MILITAIRES AFFECTÉS D'UNE EXTRÊME VIEILLESSE PAR UN VIRUS INCONNU

Plus personne ne parle d'une plaisanterie de mauvais goût. Les regards commencent à se tourner vers Bois-Rouge, d'où sont partis les premiers messages d'alerte. Les jours suivants voient une commission d'enquête canado-américaine s'installer dans la salle du conseil de l'hôtel de ville.

Les Américains sont accompagnés de militaires spécialisés en armement, en techniques de guérilla, en lutte contre le terrorisme. Les Canadiens ont préféré impliquer des civils, dont plusieurs femmes, pour contrebalancer la composition exclusivement masculine de l'équipe des voisins du sud. L'Organisation des Nations unies a spécialement délégué un observateur : Niang Al Akata, originaire du Boudjikistan. Un expert en négociation pacifique et en règlement de conflits ethniques.

Le maire Gaston Montendon, que nul n'a invité à faire partie de la commission, accueille pourtant les officiels de manière tapageuse malgré son grand âge qui, en la voûtant, a fait perdre quelques précieux centimètres à sa silhouette. Cet homme insignifiant compense volontiers ses complexes par une exubérance toute politique dès qu'il a l'occasion de se montrer en première ligne de l'actualité.

La télévision a commencé à dérouler des kilomètres de fils électriques.

Les journalistes accourent comme des guêpes autour d'un pot de miel.

Hugo Renaudeau, propriétaire et unique employé de l'hebdo *L'Écho de Bois-Rouge,* a déjà décidé d'augmenter le tirage. Il mitraille à coups de flash tout ce qui passe à sa portée. Montendon s'arrange pour se placer le plus possible devant les caméras.

Énervé, un technicien lui demande de se pousser hors de son champ de vision.

— Je suis le maire de Bois-Rouge, fulmine Montendon.

— Ah oui ! lance un journaliste, le gars qui a baissé sa culotte devant les envahisseurs !

Le freluquet se rue sur l'insolent, lequel le reçoit d'un solide coup de poing sur le nez.

— Ah ! bravo ! s'écrie un colonel, on n'a plus besoin des martiens pour susciter la violence !

Un officiel canadien lui fait remarquer qu'il s'agit de Néblis et que chaque ethnie, coupable ou non, a droit au respect de ses origines.

Niang Al Akata approuve vigoureusement :

— Nous sommes ici non pour préparer une guerre, mais pour l'éviter à tout prix.

Le service de sécurité est prié de rétablir l'ordre. Les cinq GI et les cinq membres de la GRC, formés pour la lutte antiémeute, expulsent Montendon qui menace de déposer une plainte au conseil de sécurité de l'ONU pour violation de la déclaration des droits de l'homme.

Les journalistes sont également éconduits, moyennant la promesse que, toutes les heures, ils pourront entrer pour une période de questions de dix minutes.

Cinq personnes figurent sur la liste des témoins à interroger. Un voisin qui a vu les Néblis creuser chez Léo Brochu et détruire le propriétaire du terrain, le policier de Bois-Rouge Jérôme Boudrias, le bedeau Osias Boisvert, le maire Gaston Montendon et monsieur Joseph Gradu, dit Zep, ouvrier agricole.

○

Les Néblis, trompés une fois de plus dans leur quête de la chose la plus désirable, tentent d'y voir clair en appliquant à leurs sondages mentaux leur logique habituelle. Ils concluent que la population du pays se divise en deux grandes catégories. Les gens d'ici et ceux d'ailleurs. Ces derniers sont des envahisseurs comme eux.

Les premiers apprécient peu la richesse pétrolière de leur patrie, car elle ne leur a jamais rien apporté. Beaucoup n'aiment pas leur pays parce qu'ils n'y ont jamais été heureux. Ils n'ont connu que la dictature, la guerre ou l'occupation militaire.

Les seconds sont des occupants, ce qui les rapproche des extrasphérestres. Ils détestent le pays qu'ils occupent et considèrent le leur comme le plus désirable au monde.

Voilà qui mérite réflexion. Les États-Unis seraient-ils l'objet de leur recherche ? Un soldat américain prend un coup de vieux en leur révélant malgré lui où se trouve cet éden. Un autre leur apprend que New York est le seul endroit parfait au monde.

○

Le lendemain de l'installation de la commission d'enquête, les audiences commencent.

Gaston Montendon, à qui sa qualité de maire a valu d'être entendu le premier, se distingue d'emblée par son antipathie maladive pour tout ce qui est étranger.

— Bois-Rouge est un village blanc catholique, proclame-t-il fièrement.

— Que diriez-vous si un Noir protestant venait s'y établir ? questionne un officier afro-américain.

Montendon répond trop vite pour déceler le piège, pourtant évident :

— Il serait le bienvenu, du moment qu'il ne cherche pas à donner l'exemple...

On lui fait comprendre que le racisme est une position insoutenable, surtout pour un homme politique. On enchaîne en lui demandant de raconter sa rencontre avec les Néblis. Le maire bafouille, tente de se donner un beau rôle. Une jeune femme de l'équipe canadienne le coupe :

— Je lis dans *L'Écho de Bois-Rouge* que vous vous êtes livré à un acte de nu-vite pour protester contre les nouveaux venus.

— Mensonge ! Le journaliste Renaudeau est un provocateur et un diffamateur.

— Mais avez-vous, oui ou non, parcouru la rue Principale du village dépouillé de vos vêtements ?

— C'est leur faute ! Ils m'ont déshabillé.

— Et comment s'y sont-ils pris ?

— Je ne m'en souviens pas. J'étais vêtu, et puis je ne l'étais plus.

On se débarrasse de Gaston Montendon en le remerciant pour sa «précieuse» collaboration.

D'autres témoins sont entendus, qui n'apportent rien que l'on ne sache déjà.

Osias Boisvert reconnaît avoir pris «la brosse de sa vie» avec une quinzaine de gars et de filles sympathiques.

— Oui, nous savons cela, déclare un commissaire. On a retrouvé sur les lieux les reliefs de votre beuverie : deux caisses de whisky volées à la SAQ. La justice évaluera certainement votre complicité dans ce délit.

Heureusement, Jérôme Boudrias divulgue enfin quelques éléments intéressants à l'interrogatoire. En particulier le fait que Zep Gradu semble être la seule personne capable de dialoguer avec les Néblis sans en souffrir. Il tient seulement à préciser :

— Zep est considéré comme un déficient mental. Si vous le bousculez, il va perdre ses moyens et vous ne pourrez rien en tirer. Quand vous l'interrogerez, je recommande donc qu'il soit accompagné de quelqu'un ayant l'habitude de communiquer avec lui.

○

Ayant puisé tous les renseignements nécessaires dans la mémoire de soldats américains, les Néblis n'ont eu aucune difficulté à se retrouver à New York. Ils ont choisi un terrain vague pour quitter leur pierre rouge et déambulent maintenant dans les artères de Manhattan, après avoir sondé quelques New-Yorkais pour s'inspirer de leur apparence. Il y a maintenant cinq Noirs dans leur groupe, trois filles et deux gars. Deux autres, en costume-cravate, passeraient inaperçus sur Wall Street. Il y a aussi deux couples de Portoricains plus vrais que nature. Les quatre autres sont parés de piercings, de casquettes, de culottes portées sous les fesses, de baskets ou de Doc Martens, de chandails à l'effigie de Che Guevara ou arborant le sigle de la compagnie Harley-Davidson.

N'étant que quinze, ils n'ont pas poussé plus loin l'inventaire de la faune locale, se contentant de donner un air asiatique à deux d'entre eux.

Reste à savoir en quoi New York est l'endroit le plus désirable de ce monde étrange et disparate.

○

Le cas de Zep Gradu étant délicat, la commission d'enquête a décidé de suspendre ses travaux et de donner rendez-vous au témoin dans l'après-midi.

Un rapide conciliabule entre Zep et ses familiers permet de prendre la décision la plus agréable pour le gnome. Il sera épaulé par Élyse et Horace pour son audience.

Chapitre 7

Les Néblis, livrés une fois de plus à l'incertitude, s'empressent de sonder le mental des passants pour connaître ce que cette gigantesque ville peut bien avoir de si exceptionnel. Un jeune homme, habillé de vêtements trop grands, d'un blouson clouté et de chaînes, leur livre un renseignement précieux. L'endroit le plus convoité de New York est Central Park. Surtout la nuit.

○

À l'hôtel de ville de Bois-Rouge, Zep est fort intimidé par l'atmosphère de la plus grande salle qu'il ait jamais vue, à part le poulailler de Cyrille. Mais chez Cyrille, on ne rencontre que des poulets. Ici, au contraire, le bonhomme est le point de mire de gens qu'il ne connaît pas et qui semblent le regarder comme un phénomène bizarre. À l'entrée, un agent de sécurité l'a palpé sous toutes ses coutures avec un détecteur d'armes. Si Jérôme n'avait pas été là, avec un sourire engageant, le petit homme se serait enfui. Pourtant, juste avant d'entrer dans la salle du conseil municipal, il n'était pas peu fier qu'on le consulte comme un grand spécialiste.

Mais Zep a trop souvent été jugé. On l'a jadis sommairement examiné pour le classer dans des catégories. On l'a déclaré itinérant quand il n'avait pas les moyens de se loger. On l'a évalué déficient parce qu'il ne savait pas construire une phrase. Les jeunes de son âge l'ont décrété laid et nul.

Il se tourne timidement vers Élyse et lui souffle à l'oreille :

— Veux sortir.

Élyse fait appel à tout son charme pour l'introduire :

— Monsieur Joseph Gradu est mon meilleur ami, lance-t-elle avec un sourire désarmant. Il parle un langage un peu différent du nôtre, c'est pourquoi nous avons cru bon de lui adjoindre deux interprètes : monsieur Horace Larivière et moi-même, Élyse Hautbuisson.

Voyant qu'elle a capté l'attention générale, Élyse poursuit un exposé qui n'a d'autre but que d'épargner à Zep un feu nourri de questions. Si le gnome se sent harcelé, il va pleurer et tout dialogue deviendra impossible.

Elle explique que Zep, malgré les apparences, est doué de facultés remarquables. Il est télépathe et peut localiser les Néblis à tout instant. Il est résistant au vampirisme mental et parvient à converser avec les envahisseurs.

Élyse décrit ensuite la démarche des extrasphérestres. Ils sont à la recherche d'une chose dont ils ignorent tout. Ils ne reculent devant rien pour satisfaire leur quête. Ils ne sont pas agressifs, mais peuvent se montrer impitoyables lorsqu'ils se croient menacés.

Le délégué de l'ONU, Niang Al Akata, lève la main pour interrompre la jeune femme :

— Monsieur Gradu peut-il nous dire où comptent se rendre les Néblis ?

La réponse précise du gnome jette la consternation dans la salle :

— New York. Central Park.

Des téléphones portables apparaissent. Les officiers américains contactent leur état-major. Au terme de quelques échanges, la nouvelle rassurante leur parvient. Rien à signaler à Central Park. Par prudence, on a doublé les effectifs policiers de l'endroit.

— Aucune présence suspecte à Central Park, proclame un officier.

— Ça ne veut rien dire, coupe Horace, ce sont des experts en déguisement. Vous passeriez à côté d'eux sans rien leur trouver de louche. Leur seul défaut est de changer trop souvent d'apparence, ce qui peut les faire remarquer par un observateur averti.

○

Les Néblis n'ont pas tardé à emprunter, dans la mémoire d'un passant, les coordonnées de Central Park. Ils s'y sont rendus et, attendant la nuit, prennent l'apparence d'une pierre rouge d'aspect tout à fait anodin. Laquelle se dépose au pied d'un buisson où personne ne la remarquera.

À Bois-Rouge, la journée de la commission d'enquête achève. Élyse l'a quittée avec Zep, tandis qu'Horace a demandé à s'entretenir quelques instants avec ses membres. L'un d'eux pose une question qui, de toute évidence, lui brûle les lèvres :

— Monsieur Larivière, vous semblez en savoir beaucoup plus sur les facultés de Joseph Gradu que vous n'en avez révélé à cette commission.

— J'en sais effectivement beaucoup plus, mais vous risquez de ne pas me croire. Disons que je possède des connaissances approfondies en parapsychologie et que Zep est le cas le plus extraordinaire que j'aie rencontré.

— Pouvez-vous être un peu plus précis ?

— Deux qualités en font un être rare. D'abord, il est d'une totale franchise et d'une parfaite honnêteté. Ensuite, il est incorruptible. L'argent ne l'intéresse pas ; il ne travaille que par amitié. Si vous continuez à l'appeler « Monsieur Joseph Gradu », il ne vous percevra pas comme des amis. Appelez-le Zep, tutoyez-le et peut-être vous trouvera-t-il dignes de son attention. Pour ce qui est des Néblis, ne les prenez surtout pas à la légère. Ce sont des entités semi-matérielles indestructibles. Et quand on les attaque, elles peuvent se montrer très violentes.

— Quelle est exactement leur force de frappe? questionne un officier.

— La vôtre est insignifiante en comparaison. Si les États-Unis les attaquent, ils détruiront les États-Unis. Et si le conflit dégénère en guerre mondiale, ils détruiront la planète et en chercheront une autre à explorer.

— Vous prétendez que les Néblis sont des extraterrestres?

— C'est à peu près la vérité, même si cette dernière est beaucoup plus compliquée. Je ne peux vous en dévoiler davantage.

— Vous cachez donc certaines données à cette commission?

— J'aide cette commission en lui révélant ce que je suis autorisé à lui apprendre.

— Et qui vous commande? Qui vous autorise à ne dire qu'une partie de la vérité?

— Voilà justement une chose que vous ne devez pas savoir.

— Et qui est au juste celui que vous appelez Zep?

— Un être parahumain pourvu de pouvoirs que certains qualifient de surnaturels. Appelons cela un gnome.

Le ton monte entre l'officier et Horace. Le délégué de l'ONU intervient.

— Mesdames, messieurs, nous nous égarons. Ma seule fonction ici est de jeter les bases d'un dialogue de paix. Je propose d'avoir un entretien privé avec monsieur Larivière et, si possible, Zep.

— Venez faire un tour ce soir chez Cyrille Lampron, l'invite Élyse. Pas trop tard, parce que Zep se couche tôt. Ou alors venez déjeuner au lever du soleil…

○

Les Néblis ont quitté leur pierre à la tombée du jour. Un curieux changement s'opère. Alors que les paisibles promeneurs de la journée ont quitté les lieux, une faune toute différente a pris le relais à la faveur de l'obscurité. Des clochards prennent possession des bancs, des détrousseurs cherchent leur gibier, des vendeurs de produits bizarres se mettent à rôder.

Les Néblis perçoivent nettement l'intention de voler chez un individu qui les croise, mais celui-ci renonce à les attaquer en raison de leur nombre.

Un peu plus loin, un homme les accoste :

— Vous cherchez quelque chose d'intéressant ?

— Oui, nous voulons ce qu'il y a de plus désirable, répond un Néblis.

— J'ai ce qu'il te faut, mon gars. Le meilleur crack en ville.

— Qu'est-ce que le crack ?

— Il faut que tu essaies ça ! C'est le nirvana garanti !

— Qu'est-ce que le nirvana ?

— Ah, je vois : un débutant. Mais tu es en de bonnes mains, mon gars. Pour un prix raisonnable, j'envoie tout le groupe au septième ciel.

— Donne-moi le crack.

— Hé ! Pas si vite ! Fais voir ton argent d'abord.

— Je n'en ai pas.

L'homme devient beaucoup moins affable, leur reproche de lui faire perdre son temps, les traite de minables, leur conseille de vider les lieux au plus vite.

— Pas avant d'avoir connu le crack.

Le revendeur s'emporte, saisit son interlocuteur par le devant de sa veste. Le groupe de Néblis se volatilise, se reforme plus loin, émettant son déjà célèbre rayon de la mort. L'homme flambe en deux secondes. Lui et son septième ciel.

Depuis quelques instants, un policier préposé à la surveillance nocturne du parc guette de loin les Néblis. Il assiste à la crémation. Il empoigne son portable et réclame du renfort. Les terroristes sont à Central Park. Une quinzaine. Comme ceux qui ont sévi dernièrement en Irak.

Les Néblis ressentent une présence inamicale autour d'eux. On tente de les encercler. La végétation nuit à leur vision. Ils incendient un vaste glacis autour d'eux. Ce qui a pour effet de mélanger les cendres de trois policiers à celles des arbres.

Les autres ouvrent le feu. Les Néblis, insensibles aux balles, répliquent à l'instant. Après quelques secondes d'une rare violence, Central Park ressemble à un paysage lunaire. La minute suivante, l'état d'alerte est proclamé à travers le pays.

○

À Bois-Rouge, Niang Al Akata se présente chez Cyrille dès l'ajournement de la commission. Il a la surprise de se retrouver dans une ambiance familiale des plus chaleureuses. Il salue Marylène qu'il prend pour la femme d'Horace et Jonathan pour son fils. On rétablit les liens respectifs et cela fait rire tout le monde. Surtout Zep, beaucoup plus décontracté que lors de l'audience de l'après-midi.

Le représentant de l'ONU s'empresse de tutoyer le gnome en lui restituant le prénom qui lui est familier. Il pousse la gentillesse jusqu'à lui offrir :

— Appelle-moi Naï. Dans mon pays, le Boudjikistan, c'est le diminutif de Niang.

Et Naï pose sa veste sur un dossier de chaise, dénoue sa cravate et prend place auprès de la table, comme un habitué.

— Je ne pensais pas que vous seriez tous réunis ici, commence-t-il. Je désirais surtout rencontrer monsieur Larivière…

— Horace, corrige l'intéressé.

— … Horace et aussi Élyse. Et Zep, bien entendu.

— Tu peux y aller sans crainte, Naï, nous n'avons pas de secrets les uns pour les autres.

○

Tandis que s'amorce cette agréable soirée, celle des autres commissaires est fortement compromise. Surtout du côté de la délégation américaine dont les téléphones cellulaires ne dérougissent pas. New York est en effervescence. Une sorte d'explosion, dont il ne reste aucun témoin, a dévasté Central Park. On ignore encore si l'arme utilisée est nucléaire, mais un vaste périmètre est en phase d'évacuation. Une équipe de spécialistes en radioactivité est en route pour tester les lieux. Les terroristes, comme ceux qui ont frappé en Irak, ont mystérieusement disparu. Les deux vagues d'attentats sont-elles liées? S'agit-il de kamikazes ou les auteurs de l'attentat se sont-ils volatilisés, prêts à frapper ailleurs? La Maison-Blanche et le Pentagone sont sous étroite surveillance militaire.

○

Niang Al Akata est maintenant très à l'aise. En dégustant le café de Marylène, il aborde la question cruciale.

— Zep, quelle est ta relation avec les Néblis?

— Pas méchants, alors amis de Zep.

— Sais-tu qu'ils ont tué des gens en Irak et à New York?

— Oui. Amis quand même.

Dans son langage chaotique, le petit homme raconte ses premières rencontres avec les extrasphérestres. Il parvient à mettre en évidence une constante dans leur attitude : ils n'attaquent jamais les premiers. Ils ne font que se défendre.

Le téléphone de Naï interrompt l'échange.

L'appel provient de la délégation canadienne. Les Néblis ont détruit une partie de New York. C'est un nouveau onze septembre. Les Américains demandent l'extradition d'un ressortissant canadien louche, soupçonné de collusion avec les terroristes. Un certain Joseph Gradu. Zep! Une assemblée extraordinaire de la commission est décrétée. Immédiatement.

— De quoi se mêlent ces militaires? s'indigne Naï. Se croient-ils en territoire conquis?

La réponse, à l'autre bout de la ligne, est très claire :

— Non, mais ils craignent qu'on soit en train de conquérir le leur. Ils parlent déjà de vague terroriste…

— Je serai là dans dix minutes, conclut Naï avant de raccrocher.

Il se tourne vers ses hôtes. Il réfléchit. Tous respectent son silence. Il semble faire un gros effort pour reprendre la parole :

— Si je comprends bien la situation, les autorités américaines souhaitent s'assurer de ta personne, Zep. Tu es devenu le suspect numéro un. Si tu connais un endroit où te mettre en sécurité, vas-y le plus vite possible. Et ne me dis pas où. Ainsi, je ne risque pas de te trahir par inadvertance ou contre mon gré.

Il se lève, resserre sa cravate et endosse sa veste. Il redevient le délégué de l'ONU qu'il avait cessé d'être depuis le début de la rencontre. Pourtant, au moment de quitter les lieux, il se retourne.

— Zep, es-tu mon ami ?

— Oui.

— Merci. Je te le revaudrai.

○

À huit heures cinquante-huit, la commission d'enquête a repris ses travaux en session extraordinaire.

On n'y parle que de Zep.

Les Américains souhaitent «qu'on leur confie Zep afin de s'assurer de sa collaboration dans la lutte antiterroriste». Les Canadiens objectent que Zep est citoyen canadien et que si cette collaboration est établie, elle le sera en territoire canadien.

Le délégué de l'ONU, Niang Al Akata, penche du côté des Canadiens.

— Vos deux pays sont membres des Nations unies, je vous le rappelle, et vous n'êtes pas sans savoir que le Canada a le droit imprescriptible de décider du sort de ses ressortissants en fonction de ses lois.

— Nos pays sont alliés, s'insurge un militaire.

— Cela n'implique pas qu'un citoyen d'un pays soit livré à l'autre.

— Essayez de comprendre que les envahisseurs possèdent les moyens tactiques de conquérir l'Amérique. Et qui sait? Le monde.

Le mot vient d'être lâché. Il sera beaucoup question, dans les jours suivants, de «l'Empire des extraterrestres». Bientôt, on parlera même de «l'Empire des sphères».

Chapitre 8

Le lendemain à l'aurore, Niang Al Akata sonne à la porte de Marylène.

— Bonjour, Marylène. Zep est-il en sûreté ?

— Là où il est, ni le FBI ni la CIA ne pourraient aller le déloger.

— Tu en es vraiment sûre ?

Survient Horace que l'odeur du café a tiré du lit.

— Ne t'en fais pas pour lui, Naï, il existe sur Terre un seul refuge inviolable, et c'est justement là que se trouve Zep.

— Je tenais à me rassurer. La sécurité de votre ami ne tient qu'à un fil.

Et Naï expose la situation dans laquelle se trouve Zep, considéré comme complice des extraterrestres. Horace, qui s'y connaît en hommes, fait asseoir le diplomate.

— Il faut que je t'explique certaines choses. Je te sonde depuis hier et j'ai acquis la conviction que tu es un honnête homme. Ceux que tu appelles les extraterrestres sont en fait des extrasphérestres.

Horace s'applique à tracer un bilan objectif de la situation. Sur le plan tactique, qu'ils soient extrasphérestres change peu de chose : l'adversaire dispose d'une technologie qui le rend invincible. Si les collègues de Naï veulent prendre Zep en otage, comme on peut le prévoir, les Néblis n'hésiteront pas un instant à le sacrifier. Ces créatures-là ne savent même pas ce qu'est un sentiment.

Seuls deux mobiles les guident : rechercher ce qu'il y a de meilleur et prendre ce qui leur convient. Ils disposent d'une force de frappe telle qu'ils n'hésiteront pas à détruire la planète si l'on s'oppose à leur démarche.

— Mais d'où viennent-ils réellement ?

— Tu ne me croiras peut-être pas, Naï. Mais t'es-tu déjà posé la question : qu'est-ce que l'infini ?

Nouvel exposé d'Horace, qui en résumé donne à peu près ceci...

La définition de l'infini n'est pas l'absence de limites, mais le perpétuel devenir. Parallèlement à la Terre existent six autres sphères où les humains se raffinent après leur mort jusqu'à atteindre la dernière, Thélème. De plus, chacune de ces sept sphères fait partie d'un ensemble de sept autres sphères. Ce qui porte leur nombre à sept fois sept et ainsi de suite jusqu'à l'infini. Voilà l'explication d'une formule que peu saisissent : l'Univers est en continuelle expansion. Sept fois sept fois sept...

— Ceux que l'on appelle les Néblis, reprend le vieil homme, sont des extra-sphérestres, c'est-à-dire des ressortissants d'un univers parallèle avec lequel nous n'aurions jamais dû entrer en contact. Nous voilà en présence d'êtres totalement différents de nous et que nous ne pouvons pas plus comprendre qu'eux ne nous comprennent.

— Ce qui confirme que l'unique clé du système, c'est Zep, n'est-ce pas ?

— Bien sûr, cela ne fait plus aucun doute. Zep ne se sent pas menacé face aux Néblis parce que rien ne l'étonne. Les Néblis, en revanche, ne le détruiront pas, puisque

Zep ne cherchera jamais à leur faire du tort. De plus, Zep est prêt à renseigner les Néblis chaque fois qu'ils lui posent une question, mais ne se laisse pas parasiter.

— Permets-moi de continuer, Horace, intervient Niang. La seule possibilité de relation constructive entre l'humain et le Néblis réside en la personne de Zep. Pour employer une formule toute faite : le sort de l'humanité repose sur les épaules de Zep. Et le gnome, en ce moment, est à l'abri sur une de tes inaccessibles sphères.

— Merci, Niang, nous savions que tu étais un homme de grande ouverture.

— Attends, Marylène, je n'ai pas fini. Le problème actuel est que les milieux militaires considèrent Zep comme un danger pour l'humanité. Je suis persuadé que le service d'ordre a réussi à placer un mouchard sur lui : un minuscule appareil grâce auquel on peut le repérer où qu'il aille. Deux solutions s'offrent à nous : ou bien Zep reste caché dans la sphère où il a trouvé refuge, et nous nous trouvons face aux Néblis sans savoir comment nous entendre avec eux. Ou alors nous donnons à Zep un rôle de tout premier ordre, qui le rendra intouchable.

— Là, je ne te suis plus, admet Marylène.

— Aux grands maux les grands remèdes. J'ai introduit une demande auprès du secrétaire général de l'ONU pour que Zep soit nommé ambassadeur extraordinaire.

— Quoi? s'exclament Horace et Marylène. Mais il ne sait même pas lire!

— Quelle importance? Il possède assez de qualités pour qu'on puisse fermer les yeux sur certaines de ses lacunes.

Zep, ambassadeur! Et extraordinaire, en plus! Des circonstances exceptionnelles attirent des solutions exceptionnelles, soit, mais les desseins de Niang ne le sont-ils pas un peu trop? Il s'empresse de raconter son histoire pour rassurer ses hôtes.

Niang Al Akata est Boudjik, c'est-à-dire un citoyen d'un pays perdu dans les hauteurs du Pamir et dont le territoire est partagé, ou plutôt déchiré, entre plusieurs tendances ethniques, politiques et religieuses. Dans ce petit État divisé par la diversité de ses allégeances, la situation était propice pour que mûrissent les abcès du sectarisme.

Niang Al Akata, homme généreux et altruiste, s'est toujours porté au secours des persécutés, quelle que soit leur obédience. Il a réussi à rassembler autour de lui les gens de bonne volonté. Ce qui lui a valu d'être la cible de nombreux attentats de la part des extrémistes. L'ONU s'en est mêlée et a compris que Niang Al Akata était un des futurs piliers de la paix dans le monde.

Le jeune homme avait alors dix-huit ans. Il était illettré. L'organisme humanitaire l'a pris en charge, l'a scolarisé, lui a permis de se hisser au sommet de ses tendances généreuses.

— Tu es l'homme de la situation, s'enflamme Marylène.

— Non, pas du tout, conteste Niang. Le seul homme de la situation, c'est Zep. Le secrétaire général m'a donné un accord de principe. Si tout se déroule comme prévu, demain, Zep devrait recevoir sa nomination. Il sera libre de l'accepter ou non.

— Mais sa charge d'ambassadeur le mettra-t-il réellement à l'abri ? se méfie Marylène.

— Complètement : tu n'ignores pas que l'ONU a son siège central à New York. Cela permet aux Américains de se trouver dans la position qu'ils préfèrent : au centre de l'action. En échange, l'ONU monnaie cette situation privilégiée en exigeant certains atouts. L'un d'entre eux est l'immunité absolue de ses ambassadeurs extraordinaires.

S'il est nommé, Zep sera désormais intouchable. Seulement s'il est nommé et qu'il consent à porter le chapeau.

○

Les Néblis ont quitté New York après la catastrophe de Central Park. Ils se replient vers une position qu'ils connaissent : les rives de la Rivière-aux-Souches. Le seul endroit de la planète où ils n'aient croisé que des êtres pacifiques. Surtout ce Zep qui diffère tant de ses congénères.

Dans leur banque de données figure l'invitation de Cyrille à aller prendre le café chez lui. Ils n'ont pas approfondi cette possibilité qui leur paraissait absurde, mais à présent la logique leur dicte de ne rien négliger.

Ils croisent Papy sur leur chemin. Le vieil homme a assez entendu parler des extrasphérestres pour les reconnaître au premier coup d'œil. Il ressent aussitôt l'emprise mentale qui fouille son cerveau. Il leur demande d'arrêter.

— Si vous continuez, vous allez me détruire. Posez-moi plutôt des questions et je vous répondrai sans détour. Si vous me tuez, je ne pourrai plus vous être utile.

Voilà qui est d'une logique que les Néblis ont rarement rencontrée chez les humains. Les extrasphérestres décident de tenter l'expérience. Papy se sent aussitôt libéré mentalement. Il éprouve une légère fatigue, mais le sondage a été de trop brève durée pour mettre ses jours en danger.

— Merci, messieurs. Je vois que vous êtes des gens raisonnables. En quoi puis-je vous être utile ?

— Nous voulons prendre le café avec Cyrille.

— Il n'est pas là ; il est allé se faire soigner parce que vous l'avez partiellement détruit la dernière fois que vous l'avez côtoyé.

— Ce n'était pas notre intention, puisqu'il ne nous a pas menacés.

— Je vous crois volontiers, mais c'est la conséquence de vos sondages mentaux. Les humains ne peuvent y survivre long-temps.

Les quinze Néblis se concertent quelques instants. Puis le porte-parole reprend :

— Nous ne vous voulons aucun mal, à la seule condition que ce soit réciproque de la part des humains. Dans le cas contraire, nous effectuerons la conquête de cette sphère et des six autres qui s'y rattachent jusqu'à ce que leurs habitants ne soient plus une menace pour nous.

— Mais quelle menace peuvent-ils représenter pour vous? N'êtes-vous pas invincibles?

— Si, mais la moindre pensée agressive à notre égard nous cause une grande souffrance. Elle peut même nous tuer. C'est pourquoi nous détruisons rapidement les auteurs de pareilles pensées.

— Je suis persuadé que cette conversation vient de nous faire franchir un grand pas. Et si nous allions le prendre, ce café?

○

Zep a été très bien accueilli sur Thalassa. Marabout XVIII a désigné Nautonier pour lui faire visiter la sphère d'eau. Le gnome est enchanté, car tous se sont montrés amicaux. Mais il commence à s'ennuyer. Des amis, il en a déjà en suffisance, et ils se trouvent le long de la Rivière-aux-Souches. Une visite sur Éolia lui a fait découvrir l'amour inconditionnel des habitants de la sphère d'air. Mais cela lui a rappelé le grand amour de sa vie : Barbara Baribeau. Depuis qu'il a rencontré la jeune femme, au Pays des Dunes, il retourne régulièrement la visiter. Elle aussi fait partie du peuple des gnomes. Une intense passion les réunit depuis leur toute première rencontre.

Malheureusement, il a promis de demeurer sur Thalassa tant qu'on ne viendrait pas le chercher. Quand Zep vit un conflit intérieur, cela lui apporte toujours du chagrin. Et quand il a du chagrin, il ne réfléchit plus. De toute manière, son esprit simple ne traite jamais qu'une idée à la fois. Son amour pour Barbara l'emporte, lui faisant oublier sa promesse.

Nautonier est fort surpris de le voir soudain se concentrer pour prononcer la formule de sortie :

— Gros rocher gris.

○

Les Néblis, pour la première fois de leur histoire, acceptent une invitation. Ils s'entassent dans la maison de Cyrille où ils sont reçus par Marylène, Horace et Niang

Al Akata. Et bientôt rejoints par Élyse et Jonathan. Ils ne détectent aucune agressivité et attendent que le dialogue s'engage. Horace s'en charge.

— Si je comprends bien votre démarche, Néblis, vous êtes à la recherche de la chose la plus désirable au monde, mais vous ignorez en quoi elle consiste.

— C'est pour l'apprendre que nous sommes partis en exploration, reconnaît le porte-parole néblis.

Le vieux magicien explique alors sa pensée aux extrasphérestres. Ils n'ont rien d'humain et ne peuvent donc pas désirer les mêmes choses que les terriens. D'ailleurs ceux-ci souhaitent chacun une chose différente, ce qui rend leur quête impossible. La preuve en est que les explorateurs ont été amenés à tester plusieurs lieux et plusieurs produits qui les ont tous profondément déçus.

— Comment est-il possible d'appartenir à la même espèce et de ne pas penser de la même manière ? C'est tout à fait illogique.

— Vous avez raison, intervient Jonathan, les hommes ne sont pas toujours logiques. Ou plutôt, chacun d'eux possède sa propre logique.

123

— Mais comment parvenez-vous à rester unis?

— Nous n'y parvenons pas. Notre planète est divisée en plus de cent groupes qu'on appelle pays. Nos pays sont souvent rivaux et l'équilibre entre eux est très précaire.

— Votre monde est fou!

— Je dirais plutôt primitif… et immense, corrige Niang Al Akata. Il a encore beaucoup de chemin à parcourir dans son évolution. Je fais partie d'une équipe mondiale qui ne travaille pour aucun pays en particulier, mais qui n'a d'autre but que de chercher à les unir.

Horace, qui paraissait songeur depuis quelques instants, reprend pied dans la conversation.

— Je crois, mes amis, qu'il va me falloir vous révéler un grand secret…

○

Zep se faufile discrètement le long de la Rivière-aux-Souches, évite la maison de Cyrille et franchit le cours d'eau en sautant d'une pierre à l'autre, à côté du barrage.

Comme quelqu'un qui cherche à se faire discret. Comme quelqu'un qui ne tient pas à se faire demander, plus tard, où il allait.

Il enfile le sentier qui mène à la vieille cabane à sucre qu'il occupait jadis avec Papy et le chat, animal énigmatique qui semble être au courant de tout ce qui se passe autour de lui et y jouer un rôle. Et qui n'accepte d'autre nom que celui de son espèce : Chat. Or, justement, Chat attend Zep sur le chemin du Pays des Dunes.

— Chat veut quoi ?

Chat feule en faisant le gros dos.

— Chat veut pas Zep passer ?

Le gnome hésite un instant avant de se décider :

— Zep passer quand même.

Un peu plus loin sur le sentier, deux dindons géants lui font face. Ils s'envolent dans la direction opposée. Zep connaît bien ces habitants du Pays des Dunes. Ils lui ont souvent indiqué la route à prendre. Cette fois, ils l'invitent clairement à rebrousser chemin. Mais Zep est têtu. Il n'a qu'une idée en tête : rejoindre Barbara. Aimer Barbara. Ainsi sont les gnomes : quand ils ont une idée en tête, ils n'en ont qu'une. Cette faculté de simplicité leur apporte un grand pouvoir : celui de ne se concentrer que sur une chose à la fois. Pourtant, cela peut avoir des inconvénients : comme de ne pas penser, justement, aux inconvénients…

Il continue.

Trois hommes surgissent, vêtus de tenues militaires de combat. Ils ne disent rien. Le gnome n'a pas le temps de les saluer. Ils l'empoignent. Le bonhomme est vigoureux et sait se défendre. Les adversaires, en revanche, ont les gestes précis de mercenaires rompus à l'action.

Zep se retrouve menotté dans le dos, bâillonné et attaché sur un VTT qui file sans demander son reste. Il entend derrière lui le bruit d'un second moteur. Le rapt a été bien préparé. L'opération n'a pas duré deux minutes.

Le malheureux ne voit rien ; on lui a mis une cagoule sur la tête. Ils roulent à présent sur une route asphaltée, puisque les cahots ont presque disparu. On s'arrête. Zep est empoigné et jeté sur un siège d'auto, d'après la consistance. Deux hommes l'encadrent. On démarre.

○

Au moment où Horace allait leur livrer son secret, au moment où ils allaient enfin découvrir le café, les Néblis se sont soudain figés.

— Nous ressentons la présence de Zep. Il est tout près.

— Impossible, proteste Élyse. Il nous a promis de ne pas quitter Thalassa.

Les Néblis n'écoutent pas la remarque. Leur porte-parole poursuit :

— Il a reçu deux avertissements de ne pas continuer.

Le groupe entier se lève d'un bond.

— Des hommes l'enlèvent. Trois hommes.

— Je sais qui, intervient Niang Al Akata. Les militaires, certainement.

— Le contact est rompu. Ils ont dû le tuer.

— L'endormir, plutôt. Ils en ont trop besoin pour l'avoir supprimé.

Chapitre 9

Zep a senti qu'une aiguille lui piquait le bras à travers sa manche. Il s'est endormi.

À son réveil, il n'a rien retrouvé de familier autour de lui. Ce grand voyageur a toujours accueilli les nouveaux paysages un à un, en prenant chaque fois le temps de s'y habituer. Mais ici tout est différent d'un coup. Sans qu'il ait eu le plaisir de la découverte.

Il pleure.

C'est sa seule défense.

Il est allongé sur un lit, dans une chambre sans fenêtre. Il y en a bien une, dirait-on, mais son verre est noir. Pourquoi en avoir placé une, alors, si ce n'est pas pour regarder dehors ? Zep remarque vaguement quelques meubles autour de lui. On lui a retiré ses lunettes. Ou il les a perdues lors du rapt.

Il décide de se lever. Il retombe couché. Il est retenu par des sangles. Rêve-t-il ou son geste a-t-il déclenché une sonnerie quelque part?

De l'autre côté de la vitre, un homme observe Zep. Il décroche un combiné et prononce quelques mots. La porte s'ouvre. Deux silhouettes blanches entrent. Le prisonnier tente d'instinct un mouvement de recul.

— Ne craignez rien, monsieur Gradu. Nous ne vous ferons aucun mal.

Le malheureux distingue à peine les personnages qui viennent d'entrer.

Celui qui vient de parler s'écarte et un autre s'approche de Zep et lui pose un objet sur le visage. Des lunettes! Une femme en tablier blanc vient de les lui mettre sur le nez. Mais ce ne sont pas les siennes. Les branches sont beaucoup trop longues. L'homme qui a parlé en entrant reprend la parole.

— Veuillez nous excuser pour vos lunettes. Elles ont été abîmées lors de votre… transfert. Un spécialiste les répare et vous les rendra très prochainement.

130

En prononçant ces mots, il entreprend de libérer Zep de ses sangles. Sitôt détaché, le petit homme bondit vers la porte. Fermée.

— Elle ne s'ouvre que de l'extérieur, monsieur Gradu. Et seulement sur mon ordre. Soyez raisonnable et assoyez-vous, dit l'individu en lui avançant une chaise. Nous allons vous apporter à manger.

Et les deux visiteurs s'éclipsent. Un peu plus tard, la femme revient, porteuse d'un plateau. Comme à l'hôpital. Ce doit être une infirmière. Le prisonnier aperçoit aussi deux solides gaillards qui le surveillent depuis le cadre de porte. L'infirmière mesure sa tension artérielle et vérifie sa température.

— Tout est sous contrôle, monsieur Gradu. Bon appétit.

Le repas est un petit déjeuner copieux. Des œufs au miroir, des toasts, un bol de céréales, une salade de fruits. Être malheureux n'a jamais été pour Zep une raison de ne pas manger quand il a faim.

Il réfléchit en dévorant. Si on lui sert le petit déjeuner, c'est qu'on est le matin. Il y a bien une horloge encastrée dans le mur, mais Zep n'a jamais su lire l'heure. Il se lève et se couche avec le soleil : voilà son unique horaire. Pourtant, de se savoir le matin atténue un peu l'insolite de sa situation. On est moins perdu quand on sait où en est la journée.

Il engloutit son repas tout en examinant le décor qui l'entoure. Les murs sont peints de couleurs douces et agrémentés de quelques photographies de paysages naturels. Il dispose d'un lit, d'une chaise et d'une table de chevet munie d'une lampe. Il y a même un tapis à terre. Il est captif, mais on a voulu lui offrir un certain confort. Il ouvre la porte de ce qu'il a pris pour une garde-robe et découvre une minisalle de bains.

On l'a pourvu de toutes les commodités. Pour lui, cela veut dire qu'on n'est pas près de le relâcher. Il retombe assis et pleure.

Un déclic se fait entendre et une voix sort d'un haut-parleur dissimulé derrière une grille du plafond.

— Éprouvez-vous un malaise, monsieur Gradu?

Zep ne répond pas. Son instinct lui dit que cette vitre noire cache quelqu'un qui l'observe.

○

Chez Cyrille, l'enlèvement de Zep a jeté la consternation.

— Il est peut-être à l'abri au Pays des Dunes, risque Jonathan.

— Non, tranchent les Néblis. Nous avons ressenti un combat. Il est à présent inconscient ou mort. Nous ne pouvons en savoir plus. Nous ne pouvons le localiser que s'il est conscient.

À ce moment, le portable de Niang Al Akata se manifeste. Il l'ouvre et prononce deux ou trois mots avant de couper la conversation.

— Je ne sais pas si c'est une bonne nouvelle, mais la candidature de Zep au poste d'ambassadeur extraordinaire est acceptée.

— Donc, s'il est prisonnier, estime Élyse, ils vont devoir le relâcher.

— Cela n'est pas sûr. L'opération a été clandestine, et nul ne la revendiquera.

Horace débarrasse la table et sort un pendule de sa poche.

— Marylène, veux-tu me prêter les cartes de Cyrille ? Je vais vous le localiser, moi. À condition qu'il soit sur Terre.

— Et nous, nous irons le délivrer, ajoute un Néblis.

— Pourquoi feriez-vous ça ? s'étonne Élyse. Ce n'est pas dans vos habitudes.

— Zep n'a jamais cherché à nous tromper. Osias s'est dit notre ami, mais ce n'était que pour que nous lui trouvions du scotch. Zep aussi s'est dit notre ami, mais n'a rien demandé en échange. Nous pensons qu'il est l'humain le plus sain d'esprit.

— Mais le ferez-vous par amitié ? insiste Élyse.

— Nous ignorons ce qu'est l'amitié, mais cet élément mérite une recherche de notre part.

— Quand vous aurez découvert l'amitié, intervient Jo, vous possèderez enfin ce qui est le plus désirable.

Horace les interrompt :

— Nous en reparlerons plus tard. La première chose à savoir, c'est où se trouve Zep.

Il étale une carte de l'Amérique du Nord et se met à la prospecter.

Un Néblis le coupe :

— Le contact est revenu. Zep est vivant. Cela veut dire qu'il était inconscient depuis que nous avons perdu sa trace.

— Sans doute l'ont-ils drogué, et qu'il vient de se réveiller, conclut Horace. Je

134

propose la méthode suivante : nous le repérons séparément, ensuite nous comparons nos résultats.

— Méthode logique, approuve un Néblis.

Niang Al Akata se lève et s'apprête à sortir.

— Je dois vous quitter pour me rendre à l'ONU le plus vite possible. Vous pouvez m'appeler sur mon cellulaire n'importe quand.

○

Le premier interrogatoire de Zep se passe dans sa chambre. Deux hommes y sont entrés, dont l'un allume un mini-magnétophone. Ils ont apporté deux chaises supplémentaires. Ils sont habillés de vêtements décontractés et se montrent souriants. Ils commencent par s'informer de la santé du prisonnier, qui ne répond que par des haussements d'épaules.

Puis les questions se mettent à pleuvoir. Toutes concernent sa relation avec les extrasphérestres. Le gnome ne l'entend pas de cette oreille :

— Veux sortir.

Après de nombreuses tentatives, les enquêteurs n'on rien pu en tirer d'autre. Ils éteignent le magnéto et risquent une dernière question :

— Parlerez-vous si nous vous sortons d'ici ?

— D'abord sortir.

Les questionneurs prennent congé. Ce qu'ils viennent d'obtenir n'est pas vraiment une promesse, mais c'est un début. Il faudra de la patience.

○

Tandis qu'Horace parcourait la carte, attentif aux oscillations du pendule, les Néblis ont adopté une curieuse attitude. Ils ont accompli un tour complet sur eux-mêmes, puis se sont figés, regardant tous dans la même direction.

Bien plus tard, Horace annonce :

— Je l'ai localisé !

— Nous aussi, depuis longtemps. Il est par là, loin.

— À combien de kilomètres ?

— Qu'est-ce que le kilomètre ?

— Aucune importance. Pour moi, il est en Arizona. Et la direction vers laquelle vous êtes tournés semble confirmer mon repérage.

136

— Ils ont essayé de le questionner, mais Zep refuse de répondre.

— Brave petit ! s'exclament Élyse et Jo. Ainsi vous êtes en contact avec lui ?

La possibilité de converser avec Zep par l'entremise des Néblis est inespérée. Horace négocie avec les extrasphérestres. Il leur demande de ne pas se précipiter vers Zep, mais de rester en contact avec le gnome et de lui souffler des réponses préparées en commun, terriens et Néblis.

Ils sont d'accord. À condition qu'on leur fasse connaître l'amitié.

— Ça, analyse Marylène, c'est déjà en très bonne voie. Mais le plus qualifié pour vous apprendre l'amitié est certainement Zep.

Le Néblis qui parle au nom de son groupe adopte alors une attitude qui surprend ses hôtes : il sourit et dit « merci ».

Il faut croire que les explorateurs ont commencé à s'humaniser…

L'extrasphérestre confirme cette impression en s'approchant d'Horace.

— D'ailleurs, nous savons maintenant qui tu es, Horace Larivière. Ne penses-tu pas qu'il serait temps de leur révéler ton identité ?

— Plus tard, Néblis. Zep d'abord.

Quelque part en Arizona, Zep est invité de manière fort courtoise à suivre ses deux enquêteurs. Le groupe arpente plusieurs corridors où le prisonnier ne décèle la présence d'aucun garde. On l'introduit dans un petit salon très coquet. On lui offre un fauteuil confortable, on lui propose un rafraîchissement. Zep accepte le fauteuil et décline le reste.

Il est très calme et semble même un peu perdu. Mais qui pourrait deviner qu'il est en contact avec les Néblis et ses amis habituels ? Seule Barbara lui manque terriblement.

○

L'arrivée de Niang Al Akata au siège de l'ONU soulève bien des questions. Ses collègues n'ignorent pas que s'il a quitté en coup de vent la commission d'enquête, c'est qu'il a des révélations importantes à faire. Le Boudjik commence par une entrevue à huis clos avec le secrétaire général. Il reçoit confirmation de la nomination de Zep au poste d'ambassadeur extraordinaire. Dans quelques minutes, la nouvelle sera diffusée mondialement, lors d'une réunion spéciale convoquée à la dernière minute.

○

Un curieux dialogue, coupé de longs silences, s'installe entre Zep et ses enquêteurs. Chaque question de ces derniers est transmise aux Néblis qui la répètent à Horace, Marylène, Élyse et Jonathan. Lesquels se concertent avant de renvoyer une réponse à Zep. Horace est aussi en communication téléphonique permanente avec Niang Al Akata.

Zep met longtemps à répondre aux questions et le fait en s'efforçant de reproduire les phrases que lui dictent ses compagnons néblis et humains depuis la Rivière-aux-Souches. Les extrasphérestres le comprennent et s'efforcent, pour la suite, de construire des phrases zeppiennes courtes ne contenant qu'un mot essentiel.

— Quelles sont vos relations avec les Néblis, monsieur Gradu?

— Amis.

— Avez-vous participé à leurs attentats?

— Non. Pas la faute des Néblis. Néblis se défendent seulement.

— Que recherchent les Néblis ?

— Chose la plus désirable.

— Soyez plus précis.

Les enquêteurs apprennent comment divers humains ont conseillé aux Néblis de rechercher de l'or, du scotch, du pétrole et même un lieu précis, Central Park. Et surtout comment les Néblis n'ont commis aucun dégât sans avoir été agressés.

On prend une pause, on digère ces quelques données. On recommence.

— Que feront les Néblis s'ils ne trouvent pas ce qu'ils cherchent ?

— Conquérir Empire des sphères.

Cette fois, l'étonnement se peint sur les visages des enquêteurs. Sommes-nous vraiment à l'aube d'une guerre galactique ? Comme dans les films de science-fiction ? Ils ne peuvent se résoudre à y croire. L'Empire des sphères, c'est du cinéma. Pourtant, les quelques démonstrations de force données par les Néblis les ont révélés invulnérables et pourvus d'une puissance de frappe dépassant toutes les armes connues.

Soudain, l'expression de Zep se pare d'un large sourire.

— Qu'est-ce qui vous réjouit à ce point?

— Néblis cherchent autre chose, maintenant.

— Laquelle?

— Amitié.

Chapitre 10

Dans la maison de Cyrille, un certain voile de mystère a occulté la compréhension qui s'installait. Élyse, qui n'aime les énigmes que quand elle arrive à les résoudre, se lève pour donner plus de poids à ses propos :

— Je te signale, Horace, que ça fait deux fois que tu passes à un doigt de nous révéler un secret.

Le vieux sage laisse un sourire éclairer son visage avant de répondre. Comme un grand-père que ses petits-enfants viennent de sommer d'avouer qui est le père Noël.

— Je ne vous ai jamais parlé de mes origines, mes amis. Je crois le moment venu de vous dire d'où je viens réellement.

— J'ai compris ! crie Élyse. Tu es un Néblis, Horace !

Le vieux rit doucement dans sa barbe, cherche ses mots, se lance dans une explication.

— Non, je ne suis pas un Néblis, petite, mais je proviens de la même souche. Des Néblis, il y en a quinze, et vous les connaissez. Néblis est le nom de leur cellule qui contient quinze projections. La mienne, celle des Horss, n'en comprend qu'une : moi-même. J'ai changé Horss pour Horace en m'humanisant. Notre peuple, dans son ensemble, ne possède pas de nom, car il ce connaît pas la notion de peuple. Chaque cellule, par contre, possède un nom générique. Les extrasphérestres, comme vous avez commencé à les appeler, possèdent un grand pouvoir qu'ils exercent en groupe. À quinze en ce qui concerne les Néblis. Seul, dans mon cas, ce qui me donne une meilleure liberté d'action, mais beaucoup moins de puissance.

— Ne me dis pas que tu pourrais conquérir l'Empire des sphères ! s'exclame Jonathan.

— Cela m'a tenté, lors de mon arrivée dans votre univers. Une faille s'était produite à l'occasion d'un tremblement de sphères, il y a des millénaires. Ma pierre rouge est tombée en lévitation dans un monde dont j'ignorais tout : Électron. J'y ai rencontré le premier être vivant différent de moi-même : Ibis Ier, le fondateur des sphères, que vous connaissez mieux sous la forme de Noûs et Nochée. Bien sûr, n'ayant pas d'autre modèle, j'ai copié mon apparence sur celle d'Ibis Ier. Cela nous a rapprochés, je crois. À mesure que je m'humanisais, je perdais mes pouvoirs destructeurs et mes désirs de conquête au profit d'une solide amitié. Finalement, je suis devenu tellement humain que je le suis resté. Je n'aurais pu survivre dans les conditions extrasphérestres. J'ai donc renoncé à mes origines. Je le dois à un homme d'exception, Ibis Ier. Sans lui, j'aurais peut-être conquis mon petit Empire des sphères et cela ne m'aurait rien apporté.

— Mais quel genre de sphère habitais-tu ?

— Nous, les Néblis, ne vivions pas sur la sphère ; nous ÉTIONS la sphère. Une immense entité pensante et minérale nommée Petra. Lors d'un cataclysme, Petra a éclaté pour devenir une ceinture d'astéroïdes. Elle y a perdu son unicité. À présent,

145

chaque pierre de cette ceinture est composée d'une ou plusieurs entités pensantes et métamorphiques.

○

Au siège des Nations unies, l'assemblée est plutôt houleuse. La menace de l'invasion est sur toutes les lèvres. Les idées les plus diverses déchirent l'assistance.

Niang Al Akata monte à la tribune dans un silence soudain. Il propose la négociation à tout prix avec les extrasphérestres. Il décrit le rôle qu'il veut faire jouer à l'ambassadeur Zep. Une question fuse :

— Quelles sont ses qualifications ?

— Il est l'ami des Néblis.

— Un traître, donc !

C'est mal parti, mais Niang en a vu d'autres. Des opinions contradictoires se font jour. Les pays du tiers-monde se rangent aux côtés de Niang. Ils préfèrent dialoguer que de se battre dans une guerre qui sera dirigée par les grandes puissances et où ils ne seront que chair à canons. Certains proposent de leur donner un territoire où ils seront autonomes.

Une petite nation d'Afrique australe ose même suggérer qu'être membre de l'Empire des sphères pourrait s'avérer la solution qui amènerait enfin une certaine unité mondiale.

— Les représentants des nations puissantes prônent la résistance. Notre souveraineté est menacée et il faut montrer aux Néblis qu'on ne se laissera pas faire.

Les huées accueillent cette prise de position. Les Néblis possèdent une force de frappe à laquelle l'humanité ne peut se mesurer.

Niang Al Akata, qui a sur l'oreille son portable « mains libres », reprend le contrôle :

— Mesdames et messieurs les délégués, il y a des choses plus urgentes à débattre. La première est que l'ambassadeur extra-ordinaire de l'ONU a été enlevé par des ressortissants d'un pays que je m'abstiendrai de nommer. Il est à présent séquestré quelque part en Arizona. Il y est soumis à un questionnaire auquel nous nous efforçons de répondre, étant en contact permanent avec lui.

— Qui c'est, « nous » ? lance un Cubain d'une voix agressive.

— « Nous » désigne un comité de négociation formé de plusieurs terriens, dont monsieur Zep Gradu, l'ambassadeur et moi-même, ainsi que les Néblis.

— Venons-en au fait! réclame un Équato-Guinéen. Que veulent les Néblis?

— Ils souhaitent se procurer la chose la plus désirable existant sur la Terre.

— Quand on veut négocier, il faut être précis, remarque une Suissesse.

— Hélas, plusieurs humains leur ont conseillé des choses dont ils n'ont que faire, comme l'or, le scotch, le pétrole et Central Park *by night*.

Niang Al Akata lève une main en désignant de l'autre son téléphone. Il a du nouveau. La salle se calme quelque peu. Niang s'écarte de son micro pour converser avec ses acolytes rougeboisiens. Il revient au pupitre.

— Le comité de négociation nommé par l'ambassadeur Gradu et les Néblis communique les nouvelles données suivantes. Premièrement, les pourparlers de paix commenceront quand l'ambassadeur sera libéré. Deuxièmement, si les Néblis n'obtiennent pas satisfaction sur ce point, ils iront le libérer eux-mêmes. Ils se mettront en marche vers l'Arizona à l'ajournement de cette séance. Troisièmement, les Néblis savent à présent ce qu'ils cherchent. Il s'agit de l'amitié.

Un mélange assourdissant de cris de fureur et d'éclats de rire accueille cette dernière donnée. Quand un semblant de calme revient, des commentaires explosent :

— On passe de la guerre des étoiles au roman à l'eau de rose ! clame une Française.

— Qu'est-ce que c'est que cette romance pour *boys scouts* ? ironise un Suédois.

Mais de plus en plus de délégués sont tournés vers la délégation américaine et scandent : «*Free Zep ! Free Zep !*[4]»

Un porte-parole américain déclare tout ignorer de la prétendue détention de Zep. Un tollé général le fait taire.

La foule vient de dépasser un point de non-retour : celui à partir duquel plus personne n'a envie de discuter, ni de calmer sa fureur.

La séance est ajournée.

Les Néblis commencent leur marche vers l'Arizona.

○

---

4. Libérez Zep.

Un soldat rejoint Niang, lui tendant sans un mot un téléphone cellulaire.

— Monsieur le délégué Al Akata ?

— Lui-même.

— Je suis conseiller en situations de crise à la Maison-Blanche. Le président des États-Unis désire s'entretenir avec vous.

— Passez-le-moi.

Une voix cordiale prend la relève. Barack Obama le félicite pour son excellent contrôle de la situation. Niang s'abstient de lui dire que sans le rapt de l'ambassadeur Gradu, ce contrôle serait nettement meilleur.

— Accepteriez-vous de venir me rencontrer à la Maison-Blanche, monsieur Al Akata ?

— J'en serais très honoré…

— Non, c'est moi qui en serai honoré ; vous êtes en ce moment un homme plus important que moi.

Niang, surpris du compliment, se demande où le chef d'État veut en venir. La flatterie n'a pourtant pas l'air d'être son style.

— Je suis prêt à vous rencontrer, monsieur le président ; je crois en effet que nous avons des choses à nous dire.

— Un avion privé vous attend à l'aéroport La Guardia. À Washington, un hélicoptère des forces armées vous prendra en charge jusqu'à la Maison-Blanche. En vous attendant, j'étudierai à fond le dossier EDS.

Empire des sphères! Même la Maison-Blanche a adopté cette dénomination. Cela en dit long sur l'impact soulevé par l'apparition des extrasphérestres...

○

Les Néblis ont commencé à se rapprocher de Zep. Sur la recommandation d'Horace, ils ont accepté de progresser par étapes afin de frapper l'opinion publique. Il importe aussi de laisser le temps de réfléchir à ceux qui détiennent le gnome. Une campagne trop rapide risque toujours de soulever la violence. Le monde entier sait maintenant que Zep et les Néblis sont en contact permanent et qu'il est donc inutile de vouloir cacher le captif.

Les Néblis se trouvent, sous leur forme de pierre rouge, dans l'État de New York. Ils évitent le massif des Adirondacks, peu propice à la démonstration qu'ils veulent exécuter : jalonner leur parcours d'indices évidents de leur passage. Et de leur volonté de continuer.

L'heure n'est plus à la discrétion. Il leur faut à présent démontrer leur puissance. Ils le font en carbonisant un cercle de cent mètres de diamètre de broussailles, quelque part, dans un endroit, comme il y en a tant au nord des États-Unis, où personne n'a encore pensé à s'établir.

Mais le cercle de cendres est contigu à une autoroute. Il ne demeurera pas inaperçu.

Ils réitèrent leur geste deux fois avant de passer en Pennsylvanie. Ils ont commencé à marquer leur itinéraire d'un pointillé géant dont le but se précise : l'Arizona.

○

Barack Obama, courbé sous le vent des pales de l'hélicoptère, vient accueillir son visiteur. Il le prend par le bras et l'entraîne vivement vers une zone de moindre turbulence, se tourne vers Niang Al Akata, lui serre la main avec chaleur. Le regarde au fond des yeux.

— Aujourd'hui, monsieur Al Akata, l'avenir de l'humanité passe pour moi avant celui des États-Unis. Mais ne répétez pas cela à mes électeurs !

Un franc éclat de rire scelle un début de compréhension entre les deux hommes.

○

Les Néblis ont jeté leur dévolu sur une petite ville apparemment sans importance : Gettysburg. Bien sûr, c'est à peine plus qu'un village. Mais tout Américain se souvient qu'à Gettysburg a eu lieu l'une des batailles décisives de la guerre de Sécession. L'une de celles qui ont bloqué l'avance des Sudistes vers le nord. L'une de celles qui ont concrétisé la victoire des Yankees. Tout envahisseur décidé à montrer sa puissance aurait rasé Gettysburg. Mais les Néblis n'en sont plus, semble-t-il, aux exhibitions de force brutale. Ils contournent la petite ville en prenant soin de marquer leur parcours d'une succession de ronds calcinés de cent mètres de diamètre.

Ils mettent le cap sur l'Indiana.

○

Un petit salon intime accueille Obama et Al Akata. La conversation reprend toute sa gravité.

— Vous n'ignorez pas que les Néblis viennent de traverser les États de New York et de Pennsylvanie. Leur itinéraire est facile à comprendre : ils progressent vers le sud-ouest, en direction de l'Arizona, et laissent des traces évidentes de leur passage. Une guerre des nerfs à laquelle j'ai ordonné de ne pas réagir.

— Nous connaissons leur but, monsieur le président. Et nous savons aussi qu'ils vont l'atteindre. Mais pourquoi avoir enlevé l'ambassadeur ?

— Je n'y suis pour rien. Vous devez savoir que le président des États-Unis possède de grands pouvoirs, mais ne les possède pas tous. Il arrive que certains organismes, comme la CIA, le FBI et d'autres, plus occultes encore, prennent des initiatives sans passer par le chef de l'État. Je vous donne ma parole que je n'ai participé d'aucune manière au rapt.

— Et moi, je vous donne ma parole que si Zep Gradu est libéré, les Néblis cesseront de décorer votre paysage de ronds brûlés.

— Monsieur Al Akata, je pense que la seule manière de sortir de l'impasse est de nous faire confiance mutuellement. Je ferai tout pour libérer Zep Gradu, mais cela peut prendre un certain temps. Ne pouvez-vous faire arrêter cette marche vers l'Arizona ?

— Hélas ! non. Cette initiative provient des Néblis en réponse à une demande de ma part de faire pression sans violence.

— Oui, mais si un militaire perd son sang-froid, les Néblis risquent de se livrer à un massacre.

— J'ai fait de mon mieux pour éviter le conflit. À vous d'en faire autant, monsieur le président.

Barack Obama et Niang Al Akata demeurent sur leurs positions tout en se promettant de garder le contrôle à tout prix. Un peu vague, mais c'est un début de solution. Ce qui est plus rassurant est le cadeau du président : un téléphone portable à longue portée au moyen duquel ils peuvent rester en contact permanent.

— Pas de mouchard, comme avec Zep ?

— Juré ! Rien qu'un téléphone.

Les deux hommes se serrent la main dans un climat de respect mutuel.

Les Néblis ponctuent l'Indiana des traces de leur progression. Ils veillent à ce que cette piste soit imprimée dans des endroits visibles, mais sans détruire la moindre culture ni la plus petite construction. De plus en plus de citoyens les voient faire sans en être inquiétés. Quelques journalistes ont pu photographier la scène. Le spectacle devient familier. On a même pu voir sur le petit écran une fillette agiter la main en direction des Néblis. L'un d'eux a répondu.

Mais aussitôt que quelqu'un tente de les approcher, ils se replient dans leur pierre et disparaissent. Il s'agit cependant d'un jeu facile, pour ceux qui disposent d'un hélicoptère, de suivre le tracé de la marche des Néblis, et même de le devancer. La télévision montre à chaque bulletin une carte du pays décorée d'un long collier de petits cercles rouges.

L'image, devenue banale, a perdu son côté sensationnel. On s'habitue à tout, même à l'inadmissible. On parle toujours de l'Empire des sphères, mais avec moins de crainte. Le terme « manifestation » apparaît çà et là pour désigner la marche des extrasphérestres. En remplacement du mot « ultimatum » que la répétition a usé.

○

Niang Al Akata est retourné à Bois-Rouge où la commission d'enquête se réunit brièvement chaque jour. Sans but vraiment précis, plutôt pour faire le point.

À la Maison-Blanche, par contre, règne une activité fébrile. Obama a convoqué ses conseillers et entrepris de les faire céder devant la menace néblis.

La discussion s'avère musclée dès les premiers mots. Ces gens-là n'aiment pas se faire forcer la main, surtout sur leur propre territoire. Un fond de vieille fierté yankee, mêlé de beaucoup d'entêtement, domine l'échange. Le président a fort à faire pour ramener continuellement le conseil à son sujet central : la libération de Zep. Les hauts fonctionnaires préfèrent brandir la menace d'un précédent qui affaiblirait le prestige américain. Quelles conséquences politiques et économiques pourrait avoir le fait de perdre la face aux yeux du monde ?

Chapitre 11

Les Néblis n'ont fait qu'une courte escale au Colorado, qui n'est pas vraiment sur leur trajet en direction de l'Arizona. On dirait qu'ils ralentissent, qu'ils prennent leur temps avant de pénétrer au Nouveau-Mexique.

Ils ont raison. Leur attitude pacifique est en train de retourner l'opinion publique en leur faveur. Est-ce une tactique calculée de leur part ou un conseil d'Horace qui les suit mentalement?

Partout au pays, des manifestations s'improvisent. Si certaines des pancartes ont encore une saveur politique, proclamant «Non à la domination extrasphérestre», la plupart réclament «Libérez Zep».

Ordre de la Maison-Blanche : aucune violence entre Américains : donc ne pas molester les manifestants. La police les encadre sans entraver leur mouvement. Le slogan « *Free Zep* » est scandé par des millions de voix, non seulement aux États-Unis, mais dans le monde. Maintenant, les Néblis sont accueillis, à chacune de leurs étapes, par un gigantesque attroupement. Dès qu'ils se montrent, on élargit le cercle autour d'eux pour ne pas gêner leur manœuvre.

○

À Bois-Rouge, Niang Al Akata a pris ses quartiers dans la maison de Cyrille et Marylène. Régulièrement, il téléphone au président qui lui répond brièvement sans se cacher de ses conseillers. Cette transparence commence à déstabiliser les partisans de la ligne dure. D'autant plus que les Néblis sont presque parvenus au terme de leur périple. Ils vont passer à l'action. Mais comment vont-ils s'y prendre ? Et quelle sera la réaction des geôliers de Zep ?

○

Dans sa prison, le petit homme est maintenant logé dans un confortable appartement et entouré de toutes les attentions. Pour tout dire, il ne s'est fait que des amis. Ses gardiens et gardiennes sont tombés sous le charme du gentil gnome. Et ce dernier leur rend bien leur affection. Il a insisté pour qu'on l'appelle Zep et non monsieur l'ambassadeur. Même si sa prestigieuse fonction est à présent officielle.

○

Les Néblis sont au cœur de l'Arizona. Ils se montrent, mais, chose curieuse, ils attendent. Une foule de badauds les entourent sans qu'ils se livrent à leur démonstration bien connue. Des journalistes s'approchent prudemment. Les Néblis leur font signe de venir les rencontrer.

— Seulement les journalistes! crie le porte-parole des extrasphérestres.

Un groupe important de gens de la presse s'avance. Les Néblis sont calmes et reproduisent à la perfection cette curieuse grimace qui adoucit les humains et qu'ils appellent le sourire. L'un d'eux prend la parole :

— Mesdames, messieurs, nous sommes presque au terme de notre voyage. Demain nous serons dans le désert de Sonora où Zep est détenu. Nous allons détruire une à une les constructions qui entourent le prisonnier jusqu'à ce que celui-ci nous soit rendu. Les humains sont invités à évacuer les lieux pour leur sécurité. Nous ne tolérerons aucune résistance. Nous vous laissons une minute pour vous éloigner à plus de cent mètres de nous. Ensuite, nous déclencherons notre avertissement.

Les journalistes refluent en bon ordre. Les Néblis calcinent leur cercle habituel, après avoir gagné l'abri de leur pierre rouge, et disparaissent.

○

Marc Hautbuisson continue à faire sa navette quotidienne entre son bief de la Rivière-aux-Souches et Thalassa, où il tient Marabout XVIII et Ciconia au courant de la situation sur Terre. Chaque fois qu'il revient, il accoste près du Rapide-à-Lampron et apporte des nouvelles fraîches du monde des sphères.

Cette fois, il a mieux à transmettre. Il se tourne vers son passager.

— Vas-y le premier. La surprise n'en sera que plus belle.

Cyrille, reposé et rajeuni, escalade allègrement la berge et entre chez lui sans frapper. Marylène reste un instant figée. Cherche ses mots. N'en trouve pas et se jette dans ses bras. Puis elle se recule et contemple, les larmes aux yeux, son mari remis à neuf.

— Comme tu es jeune, Cyrille ! Je vais devoir suivre à mon tour une cure de désactivation ; j'ai l'air d'être ta mère !

— N'abuse pas du traitement, quand même ; je n'ai pas envie de te changer les couches !

Élyse, Jonathan, Horace et Niang attendent, attendris, que Cyrille et Marylène aient fini de se dévorer des yeux. Faut-il laisser les amoureux retrouvés rattraper leur retard d'intimité ? Cyrille devance la question en s'assoyant. D'un geste large, il invite ses compagnons à en faire autant.

— Quels sont les derniers développements ?

Niang s'empresse de combler les lacunes de Cyrille en lui brossant un tableau sommaire de la situation.

La présence du sourcier a ramené le sourire sur les visages las de cette crise qui n'a que trop duré. Cyrille prend une grande inspiration et attaque :

— Je peux lui dire deux mots, au président ?

— Il ne l'a pas interdit, annonce Niang Al Akata, heureux de partager une responsabilité qui lui pèse sur les épaules.

Le Boudjik se fait répondre, à la Maison-Blanche, que le président n'est pas disponible, mais qu'il le sera très bientôt. La ligne reste ouverte. Niang passe le portable à Cyrille.

○

Dans le désert de Sonora, le directeur du centre de détention politique réunit son personnel.

— L'heure est venue pour moi d'assumer mes responsabilités. J'ai la charge de ce bâtiment et de toutes les personnes qui y travaillent. Les Néblis sont à nos portes et ils libéreront l'ambassadeur de toute manière. Je suis donc forcé de les devancer. Cette décision, je la prends seul et n'oblige personne à l'entériner. Libérez le détenu, préparez l'hélicoptère et mettez-vous à l'abri.

Tandis qu'il emprunte l'ascenseur pour gagner la passerelle d'atterrissage, située sur le toit, Zep se voit invité à le rejoindre sans délai.

— Pourquoi faire ? questionne Zep.

— La crise prend fin, monsieur l'ambassadeur. Vous êtes libre.

○

À la Maison-Blanche, le président a abandonné son téléphone de liaison avec Niang Al Akata pour appeler le centre de détention sur un autre appareil. Il parvient à contacter le directeur au moment où celui-ci s'apprête à entrer dans l'hélicoptère. Le vacarme des pales de l'appareil prêt à prendre l'air le contraint à rebrousser chemin vers les bâtiments.

Le président n'y va pas par quatre chemins :

— Libérez l'ambassadeur immédiatement.

— C'est déjà fait, monsieur le président. J'en assume toute la responsabilité.

— Je l'assume avec vous.

Il raccroche. Zep arrive et les deux hommes se dirigent ensemble vers l'aire d'envol.

Obama reprend son téléphone de liaison. Une voix nouvelle lui répond.

— Ici Cyrille Lampron. Je travaille avec Niang Al Akata. Monsieur le président, je vous conjure de libérer Zep Gradu dans les plus brefs délais. Je vous donne ma parole que la crise actuelle cessera aussitôt.

— J'ai déjà lancé l'ordre de libérer monsieur Gradu. Je compte sur vous tous, à Bois-Rouge, pour reprendre la négociation sur une base pacifique avec les Néblis.

○

Dans le désert de Sonora, un hélicoptère décolle au moment où les Néblis prennent consistance devant le centre de détention. Le pilote les a vus et se pose à quelque distance du groupe. Zep en sort, suivi du directeur.

Le gnome se précipite vers les Néblis qui lui réservent un accueil étrangement humain. Ils vont même jusqu'à l'embrasser, ce qui montre que les extrasphérestres ont continué à s'instruire des coutumes terriennes.

— Zep, disent les Néblis, nous tenons beaucoup à toi. Conseille-nous, à présent que tu es devenu un homme important. Nous ne ferons plus aucun geste sans t'en parler. Sauf si on nous attaque.

Le petit homme se concentre quelques instants, puis propose :

— Allez chez amis à Bois-Rouge. Zep vous rejoindra.

— Mais nous pouvons t'emmener avec nous. Il suffira que tu acceptes d'adopter temporairement la forme d'une pierre. Nous serons là-bas dans quelques secondes.

— D'accord, consent Zep, pour qui la chose semble toute naturelle.

Le directeur du centre de détention, qui a discrètement rejoint le groupe, intervient :

— Monsieur l'ambassadeur, le président souhaite votre présence à la Maison-Blanche. Ou tout au moins à l'ONU.

La réponse est prononcée sur un ton qui ne tolère aucune réplique :

— Zep ira. Plus tard. D'abord amis, puis Barbara, puis ONU.

Et le gnome tourne le dos pour bien montrer que l'entretien est clos. Curieuse attitude de sa part ! Aurait-il appris l'autorité en assumant son titre d'ambassadeur ? Ou alors ses contacts avec les Néblis seraient-ils à l'origine de ce nouveau trait de son caractère ? Il est plus probable que Zep manifeste une fois de plus la suprématie de son amitié et de son amour sur toute autre considération.

○

Les journaux du monde entier célèbrent la libération de l'ambassadeur Zep. En particulier *L'Écho de Bois-Rouge*. Cet hebdo de village, propriété d'Hugo Renaudeau, a vu monter vertigineusement son tirage depuis que le journaliste l'a érigé au rang de porte-parole de la paix mondiale. Alors que jusqu'ici les mots croisés, la nécrologie et la publicité constituaient l'essentiel des deux ou trois feuillets hebdomadaires, *L'Écho de Bois-Rouge* affiche maintenant l'embonpoint d'un solide tabloïd en couleurs et paraît presque tous les jours. Bien entendu, un numéro spécial est consacré au retour de Zep, dont la photo occupe la une en entier. On peut même lire en page deux une interview exclusive des Néblis. Le journal les présente sous un jour favorable et humain. Ils déclarent à qui veut le lire qu'ils ont enfin découvert ce qui est le plus désirable sur Terre : l'amitié.

○

Oui, les extrasphérestres ont découvert l'amitié. Celle de Zep en particulier. Cela inquiète un peu Cyrille, car les Néblis ne lâchent plus le gnome d'une semelle. Pourront-ils un jour rentrer chez eux et se priver de leur ami ?

Zep, lui, démontre un certain sens de l'organisation depuis qu'il est revenu parmi les siens. Il planifie les jours à venir. D'abord aller voir sa petite amie Barbara au Pays des Dunes. Il est en manque d'amour et doit déployer beaucoup de persuasion pour faire admettre que sa relation est d'ordre privé et ne peut en aucun cas être partagée avec les Néblis.

À Niang Al Akata, il déclare être prêt à monter à la tribune de l'ONU le surlendemain. Il y emmènera Élyse et Jonathan à titre d'interprètes. Niang arrange les choses et annonce qu'un avion spécial se tiendra à la disposition du gnome et de son équipe.

Ayant dicté son emploi du temps, Zep prend congé, franchit le barrage de la Rivière-aux-Souches et dépasse l'endroit où le commando l'a enlevé. Cette fois nul, qu'il soit chat, dindon ou soldat, ne cherche à lui faire rebrousser chemin.

Chapitre 12

Rien n'a changé au Pays des Dunes, où Zep est maintenant un habitué. Il y rejoint régulièrement sa compagne Barbara.

Aussitôt que le visiteur a senti sous ses semelles le velouté du sable, la nuit est tombée, éclairée par la pleine lune. Quand le gnome franchit les frontières de ce monde parallèle, c'est toujours ainsi : la clarté solaire s'efface devant un disque lunaire qui éclipse les étoiles et décore les collines blanches de sensuels clairs-obscurs. Sans doute est-ce un sortilège de Barbara, l'autoritaire mais combien amoureuse maîtresse de la partie occidentale du Pays des Dunes. Zep sait qu'en marchant droit vers la lune, il trouvera Barbara.

Chemin faisant, il croise Barnabé, le chasseur géant qui mesure trois fois la hauteur du gnome. Les deux se saluent amicalement d'un geste, comme il convient entre gens du même monde.

Un peu plus loin a lieu une rencontre plus turbulente. Celle des babouins bleus à face rouge. Ce sont à présent de vieux amis pour Zep. Ces incorrigibles farceurs ont cessé de lui jouer des tours pendables, comme lui voler ses lunettes ou le dépouiller de ses vêtements. En échange, le visiteur se soumet à la coutume des primates : le *grooming,* qui consiste à se peigner mutuellement le pelage. Quand il les rencontre, il se met à quatre pattes et participe à une longue séance de toilettage collectif.

Ayant sacrifié aux civilités d'usage, Zep poursuit sa route et devine à l'horizon l'habituelle oasis. Il accélère le pas.

○

Au bord de la Rivière-aux-Souches, la situation évolue. Les Néblis, n'ayant nul besoin d'habitation, se retirent périodiquement dans leur pierre rouge. Cela leur arrive

172

d'ailleurs de plus en plus souvent. En effet, Hugo Renaudeau n'est plus le seul à vouloir glaner des informations sur les extra-sphérestres. Des pigistes de tout poil, des curieux, des paparazzis sillonnent la contrée, espérant les rencontrer. Mais c'est compter sans le pouvoir de détection des Néblis qui s'éclipsent à la moindre alerte.

Seul Renaudeau est autorisé à leur parler, à condition de prévenir à l'avance. Les autres, de plus en plus énervés de se faire répondre par les riverains qu'ils ignorent où se trouvent les Néblis, inventent en vain toutes les ruses pour s'approcher de la maison de Cyrille. Ils en sont pour leurs frais et finissent par titrer en sixième ou septième page, et sur une seule colonne : « Les Néblis sont-ils encore sur terre ? » On accuse même *L'Écho de Bois-Rouge* d'avoir stocké des images et son directeur d'inventer des fausses nouvelles pour vendre du papier.

La tension qui règne s'aggrave brusquement lorsqu'un journaliste parvient à les débusquer au moment même où ils sortent de leur pierre. Les Néblis ne l'ont pas repéré. Leurs facultés faiblissent-elles ou ont-ils acquis un défaut au contact des humains : la distraction ? Le journaliste n'a pas le temps de poser sa première question. Le vieux réflexe revient. Il se fait carboniser.

Cet accident est très regrettable, car il fait reculer le dénouement de la crise alors que les extrasphérestres faisaient preuve de bonne volonté. Tant que règne le calme, les Néblis se montrent de plus en plus humains. Leur formidable pouvoir d'imitation en a fait un groupe convivial et sympathique.

Mais on ne bouscule pas les Néblis. Ce journaliste trop fringant en a fait la preuve à ses dépens.

La menace de l'Empire des sphères, qu'on oubliait un peu, n'a rien perdu de son actualité.

Pourtant, les extrasphérestres continuent d'acquérir des caractères typiquement humains. Le premier est le goût de la plaisanterie. Ils ne font plus semblant de rire en singeant les terriens. Ils font eux aussi des farces de leur cru pour amuser la galerie !

Autre manifestation humaine : ils prennent de l'individualité. Au lieu de ne s'exprimer que par l'intermédiaire d'un des leurs, il leur arrive de parler tous en même temps. Parfois, l'un d'entre eux prend l'allure d'un paisible touriste et va faire un tour au village pour observer les gens de plus près.

○

Cyrille, qui a repris la direction des opérations, a réuni les siens autour de lui : Marylène, Marc, Élyse et Jonathan. Horace, ne se sentant plus indispensable, est retourné à ses fonctions de sphérarque sur Électron. Il préfère être à pied d'œuvre si jamais l'Empire des sphères, dont la menace est encore présente, se réalise. Cyrille a tout tenté pour le retenir, mais par une curieuse loyauté, Horace en a décidé autrement. Loyauté envers les humains, dont il ne veut pas influencer les actes. Loyauté envers les Néblis, ses ex-compatriotes, qu'il croit assez sages pour ne pas déclencher une catastrophe.

○

Pendant ce temps, Zep, qui a retrouvé sa dulcinée, se livre sans restriction à ses amours. Ce qui n'empêche pas le couple de parler de temps à autre de la situation sur

Terre. Barbara l'incite à lui donner des détails ; elle semble avoir une idée.

Zep aussi en a une.

Les deux amants les confrontent. Un plan s'élabore. Barbara doit prévoir le cas d'une incursion dans le Pays des Dunes. Une rencontre des extrasphérestres avec Barnabé, les babouins bleus ou les guerriers khartash pourrait avoir des conséquences désastreuses. Et il ne suffira pas des scorpions peuplant le Pays des Dunes pour les arrêter.

○

Quelques Néblis, qui se sont aventurés dans le village, reviennent, enthousiasmés par leur expérience. Il n'en faut pas plus pour que le reste de leur groupe se déguise en journalistes. La tactique est efficace, car les gens de presse sont nombreux à Bois-Rouge, en ce moment, et les villageois ne font plus attention aux nouveaux visages.

○

Chez Cyrille, on parle de choses sérieuses. Les Néblis commencent à se plaire un peu trop sur Terre et il est à craindre qu'ils s'y installent. Par ailleurs, s'ils décident de rentrer chez eux, ne voudront-ils pas emmener leur meilleur ami, Zep?

— Sans lui, observe Élyse, leur découverte de l'amitié n'a plus aucun sens. Par contre, Zep, sans sa Barbara, dépérirait bien vite. Son départ est donc impensable.

— D'autant plus, ajoute Jonathan, que Barbara ne les laissera pas enlever son amant sans réagir. Un autre conflit en perspective. Et puis les Néblis commencent à côtoyer abusivement les terriens. La méfiance s'estompe, on baisse sa garde de part et d'autre. Il faut absolument rester conscients que le moindre affrontement peut engendrer une explosion de violence.

Un phénomène inattendu interrompt l'échange. Une bulle translucide aux couleurs irisées est apparue sur la pelouse devant la maison.

— Une bulle de plasma! s'écrie Élyse. Noûs et Nochée!

Le plasma est l'essence fondamentale de l'Univers. Toutes les autres formes de matière en découlent. Seuls Noûs et Nochée, les sphérarques de Thélème, la septième sphère, en disposent à leur gré, surtout quand ils se déplacent à travers les mondes parallèles. Les deux voyageurs sont des Spirites : des êtres qui, à l'instar des Néblis, prennent l'apparence qu'ils désirent. Ils ne sont en fait qu'une seule personne qui a pris l'habitude, en présence d'Élyse et de Jonathan, de revêtir l'aspect d'un très beau jeune couple.

Leur arrivée est soulignée par un soupir de soulagement. Les Spirites sont les maîtres de l'Univers et leur pouvoir est illimité.

Après des retrouvailles émues, les arrivants se joignent au groupe.

— Êtes-vous venus nous prêter main-forte ? espère Cyrille.

— Hélas ! non. Désolé de vous décevoir. Je ne peux intervenir dans une démarche humaine. Ce serait vous priver de votre liberté.

— Les Néblis aussi risquent de nous priver de notre liberté, rétorque Élyse.

— Oui, mais les Néblis sont pour nous des créatures de l'Univers au même titre que les humains. Je ne peux prendre parti ni pour l'un ni pour l'autre. C'est aussi pour cela qu'Horace est reparti sur Électron.

— Mais alors, demande Jonathan, pourquoi êtes-vous venus, si ce n'est pas afin de nous aider ?

Nochée prend la relève avec son habituelle douceur :

— La crise de l'Empire des sphères est un problème humain et il appartient aux humains de la dénouer. Nous sommes venus vous dire que vous en avez la capacité et que vous êtes sur la bonne voie.

— Pensez-vous que les Néblis retourneront chez eux ?

— La chose est possible, sourit Nochée. Mais c'est à eux qu'il faut poser la question. Tout ce que nous pourrons faire est de refermer le passage entre Thalassa et les sphères parallèles. En effet, cette voie de communication est un accident dans le monde des sphères et il nous appartient de le réparer pour que l'Univers retrouve son harmonie.

Les Spirites sortent de la maison sans rien ajouter, se placent sur le gazon et une bulle de plasma commence à les envelopper. Ils s'évaporent, laissant derrière eux un mélange d'espoir et de déception.

○

Au Pays des Dunes, Zep et Barbara, repus d'amour, ont arrêté leur plan de campagne en compagnie de Barnabé. Ce dernier, en tant que chef des babouins bleus, a une permission à accorder, ce qu'il fait volontiers après avoir échangé un concert de grognements avec les primates. Lesquels semblent très satisfaits de l'aventure qui s'ouvre à eux.

Le retour de Zep à Bois-Rouge provoque tout un émoi : il est flanqué d'une horde de quinze babouins surexcités qui jacassent bruyamment en découvrant un monde dont ils ignoraient jusqu'à l'existence. Avant même qu'ils aient fini de franchir le barrage de la Rivière-aux-Souches, tous les riverains sont sortis sur la galerie. Zep rejoint ses amis, un sourire rayonnant sur le visage.

— Mais tu es complètement fou ! crie Cyrille. On avait déjà une invasion sur le dos et nous voilà maintenant avec une bande de macaques !

— Quinze babouins pour quinze Néblis, explique Zep sans se troubler.

— Tu crois vraiment que ça va marcher ?

— Babouins imitent Néblis. Néblis imitent babouins, conclut-il finement.

Les extrasphérestres, qui s'offraient une promenade au village, ont sans doute perçu le retour de Zep, car ils rappliquent dare-dare. Le gnome, conduisant le groupe des singes, va au-devant des Néblis. Son instinct lui dicte d'arrondir les angles, pour une première rencontre.

— Babouins, annonce-t-il. Amis de Zep, comme Néblis. Attention, pas trop les fatiguer.

Les Néblis se contentent de rechercher un langage commun avec les primates, mais sans les vider de toute leur énergie mentale et physique, comme ils l'ont fait involontairement avec Cyrille. Heureusement, car il n'est pas sûr que Ciconia serait enchantée de recevoir quinze énergumènes grimaçants dans sa cellule de désactivation !

Les présentations étant faites, les deux groupes se rapprochent, s'observent, se flairent. Les babouins, dûment sermonnés par leur idole, Barnabé, s'abstiennent de toute provocation. L'un d'eux se penche, le visage vers le sol. Une invitation au toilettage social. Un Néblis comprend spontanément le message et se met à lui fouiller la fourrure du cou. Peu à peu, les Néblis se transforment. Ils deviennent simiesques. Bientôt trente babouins se cherchent mutuellement des puces.

Zep, fort satisfait du succès de son entreprise, se détourne de ce charmant tableau et s'adresse à Cyrille :

— Téléphoner Naï. Demain ONU.

L'appel est effectué et Niang Al Akata promet qu'un hélicoptère viendra chercher le petit homme et ses traducteurs dans une heure ou deux. Le gnome accepte sans s'émouvoir. Ce n'est pas nouveau ; au centre de détention, on avait déjà commencé à lui dérouler le tapis rouge. Les honneurs ne sont pour lui que des détails de la vie auxquels il n'accorde aucune importance.

○

L'arrivée de Zep aux Nations unies ne passe pas inaperçue.

Le petit homme avait catégoriquement refusé de se changer. Élyse lui a fait miroiter qu'il serait très chic en complet-veston, il a hésité, cédé, puis c'est la cravate qui a tout gâché. Pourquoi attacher son col de chemise – col très raide, d'ailleurs – alors que celui-ci est déjà pourvu d'un bouton ? C'est illogique, ridicule et inconfortable.

En ce qui concerne ses grosses bottes en caoutchouc, Jonathan a trouvé une ruse :

pour fêter l'événement, il se proposait de lui offrir une belle, très belle paire de bottes neuves. En cuir véritable. Le petit homme s'est laissé tenter. C'est quand même plus raisonnable qu'une cravate. Dans une boutique plus ou moins western, Zep a fait son choix sans hésitation. Il en est ressorti avec de superbes bottillons tout brodés de coutures multicolores. Va pour les bottes de cowboy. Elles sont presque présentables, surtout avec une salopette rayée et une chemise rouge à carreaux. Et puis, les talons hauts grandissent le gnome. Et comme le marchand affirmait que l'élégance équestre demandait un chapeau assorti, Zep a quitté le magasin coiffé d'un immense Stetson brun havane, modèle dix gallons, ceint d'une courroie de peau de vache.

— Tu l'enlèveras pour monter à la tribune, a suggéré Élyse sans obtenir de réponse.

Et Zep Gradu, ambassadeur extraordinaire de l'Organisation des Nations unies, gravit en même temps les marches de la tribune et celles de la gloire. Son apparition derrière le pupitre qui lui arrive au menton s'accompagne d'un silence étonné. Il en profite pour faire la preuve de son talent oratoire. Tous les délégués ont mis leurs écouteurs.

Pour les traducteurs, cela ne va pas sans peine. Bien sûr, Zep est accompagné d'Élyse qui traduit dans un second micro les mono-syllabes et la syntaxe inusitée du dialecte zeppien. Ensuite, seulement, il est possible d'essayer de retraduire le discours dans les différentes langues mondiales.

— Zep content ici.

Traduction : «Je suis honoré d'être parmi vous. »

Une des bottes – trop neuves – blesse le petit homme. Il l'enlève machinalement tout en poursuivant son exposé. Après avoir vérifié en la secouant qu'il n'y avait pas de caillou dedans, il la remet avec mille con-torsions qui n'aident en rien son élocution. Beaucoup se souviennent encore que Nikita Khrouchtchev a fait la même chose en 1960 en brandissant un joli soulier jaune.

Lorsqu'il rétablit son équilibre, Zep se donne une contenance en baissant la glissière de sa salopette, afin d'en extraire un pan de sa chemise, lequel lui sert à nettoyer ses lunettes.

Le lendemain, *L'Écho de Bois-Rouge* titrera à la une : «L'ONU : Zep baisse son zip».

Il reste que le gnome réussit à émouvoir l'auguste assemblée par la simplicité de ses idées, sa générosité et sa personnalité surprenante.

— Zep aime Néblis. Néblis pas méchants.

Il fait admettre à tous que l'Empire des sphères ne sera pas conquis par les extrasphérestres si tout le monde suit ses indications. Les Néblis ne sont pas des malfaiteurs, mais des êtres si différents que la compréhension mutuelle a été difficile au début. Ils ont cessé leurs ravages parce qu'ils se sont trouvé un ami, chose dont ils n'avaient jamais entendu parler.

— Zep trouvé ami pour chaque Néblis. Alors, Néblis contents. Plus faire mal à personne.

Le gnome a la délicatesse de ne pas mentionner les babouins : cela aurait pu vexer certaines personnes que la paix dans le monde repose sur une bande de macaques. D'autres auraient pu craindre qu'un représentant du monde des singes soit nommé à l'ONU.

Chapitre 13

Zep revient de l'ONU couvert de gloire. Il a presque fait l'unanimité mondiale, phénomène sans précédent dans l'histoire des Nations unies.

Mais le plus dur reste à accomplir : persuader les Néblis que l'amitié de quinze babouins est finalement l'aboutissement de leur quête et qu'ils vont enfin pouvoir rentrer chez eux.

C'est ici que plusieurs facteurs inattendus viennent modifier les données du problème.

Le premier est la totale réussite de la mise en présence des babouins bleus et des Néblis. Réussite, oui, mais pas de la manière prévue. Cyrille, qui les observe attentivement, croit utile de convoquer les riverains.

— J'ai remarqué un aspect nouveau de l'amitié entre les babouins bleus et les Néblis : la réciprocité. Les singes commencent eux aussi à changer de forme. Jusqu'ici, cela se passe au niveau des couleurs, mais on peut s'attendre à ce qu'ils aillent plus loin. Vous voyez où je veux en venir ?

— Oui, soupire Marylène, nous risquons de nous retrouver avec trente Néblis et tout sera à recommencer.

— Mais comment fais-tu pour distinguer les vrais Néblis des babouins ? s'étonne Élyse.

— Cela m'intrigue aussi, intervient Jonathan. Parfois il ne reste que cinq ou six singes de couleur bleue. Par contre, j'ai vu plusieurs Néblis bleus à face rouge. Je crois qu'il va falloir aller leur parler. Au fait, où est passé Zep ?

— Je l'ai vu franchir le barrage ce matin, annonce Cyrille. Il doit être dans les bras de sa dulcinée, au Pays des Dunes.

— Il faudra que je lui apprenne à prévenir quand il s'en va. Nous aurions bien besoin de ses services, en ce moment.

— Oui, Élyse, mais nous allons devoir nous en passer pour cette fois. Qui se propose pour jouer les ambassadeurs ?

— Ce n'est pas tout, coupe Jonathan. J'ai remarqué que les Néblis ne se servent plus de leur rayon pour calciner l'herbe autour d'eux avant de se retirer dans leur pierre.

— Je crois comprendre, dit Élyse. Les babouins ont peur du feu.

Un autre fait inquiète Cyrille : nul n'a encore vu les singes bleus se nourrir depuis qu'ils sont arrivés. De quoi vivent-ils ? Comme les Néblis, ils puisent peut-être directement leur subsistance dans l'énergie universelle. Nouvel indice qui porte à croire que les singes se transforment en Néblis.

— J'irai les rencontrer, décide Élyse. Il faut tirer tout cela au clair.

Au moment où la jeune femme quitte la maison, un mouvement attire son attention. Les Néblis, les vrais, puisqu'ils ont pris une apparence humaine, viennent à sa rencontre. Chose curieuse, les singes restent en retrait. C'est bon signe : les extrasphé-restres veulent parlementer.

L'un d'eux s'avance vers Élyse.

— J'aimerais parler de nos projets.

Il a dit «je» et non pas «nous», preuve que l'individualité fait son chemin chez ces gens-là.

— Moi aussi, je suis venue pour discuter avec vous. Allons dans la maison, voulez-vous ?

Le Néblis ne se fait pas prier. Le groupe se forme autour de la table. C'est alors que le visiteur formule une requête étonnante :

— Je voudrais prendre le café avec vous.

— Le café ? sursaute Cyrille. La première fois que je vous ai rencontré, vous m'avez dit qu'il n'y avait aucun intérêt à faire pénétrer un liquide chaud dans votre organisme ! Auriez-vous changé d'avis ?

— J'en prépare pour nous cinq ou pour toute la bande ? s'informe Marylène.

— Inutile que les autres en prennent, répond le Néblis. Ce que vit un Néblis est ressenti par tous ses congénères, puisque nous ne faisons qu'un.

— Si je comprends bien, c'est une expérience ?

— Oui, Cyrille. Les humains nous ont déjà fait absorber le scotch et le pétrole, qui sont deux poisons. J'ai remarqué que les hommes ne changent pas de personnalité quand ils boivent le café. D'ailleurs Papy nous y a déjà initiés. Mais nous n'étions pas préparés à partager cette boisson conviviale.

— Vous avez donc appris ce que ce mot veut dire ?

— Les babouins nous l'ont expliqué. Ce sont des êtres très conviviaux. Et nous voulons savoir ce qui l'est le plus : les caresses du toilettage social ou le café.

Un long silence s'appesantit sur la tablée tandis que Marylène prépare le café. Les terriens se doutent de la portée que peut avoir le résultat de l'expérience. Les Néblis sont à la veille de choisir entre deux convivialités, celle des humains et celle des singes. Pourvu qu'ils fassent le bon choix.

— Vous projetez beaucoup d'inquiétude en ce moment, signale l'extrasphérestre.

Cyrille décide de mettre cartes sur table. Il ne sert à rien de vouloir ruser avec des télépathes qui peuvent déceler le moindre mensonge.

— Oui, Néblis, nous sommes inquiets. Nous sommes heureux de vous avoir apporté l'amitié, mais nous craignons que votre présence sur Terre n'occasionne de nouvelles catastrophes. Beaucoup d'habitants de la Terre se méfient des étrangers. Autrement dit, vous trouvez de la convivialité auprès de nous, dans cette maison. Quand certains terriens obtus vous repousseront, vous vous sentirez menacés et nous savons ce que cela peut engendrer de votre part. Les babouins, eux, vous aiment sans restriction.

— C'est exact, Cyrille. D'ailleurs, ils commencent à se transformer à notre contact. Ils deviennent Néblis, ce qu'aucun humain n'accepterait de faire.

Un odorant café est servi sur la table, créant une diversion. Élyse, assez nerveuse, se calme en apportant des tasses. Tous vivent ce moment si anodin comme une sorte de rituel magique. Nul ne songe à l'absurde de la situation : l'avenir de l'humanité dépend peut-être d'une tasse de café.

Cyrille prend trois sucres, Marylène un nuage de lait, Élyse lait et sucre, Jonathan le préfère noir. Le Néblis est abasourdi.

— Comment le café peut-il vous être convivial si vous ne le préparez pas tous de la même manière ?

— Le plaisir de le partager reste le même, explique Élyse, mais pour les détails, nous avons chacun notre goût personnel. Je vais vous montrer. Préférez-vous les choses douces ou corsées ?

— Nos amis babouins nous ont appris à aimer la douceur.

— Alors je vous mets deux sucres et du lait, ce sera plus conforme au goût des babouins.

La jeune femme tourne la cuiller dans la tasse du Néblis et la pousse vers lui. L'extrasphérestre copie les gestes des autres, saisit le récipient par l'anse, le porte à ses lèvres.

— Attention, il est peut-être trop chaud, prévient Jonathan.

Le Néblis finit par siroter comme le font ses convives. Il vide enfin sa tasse, la repose, s'enfonce dans une profonde réflexion.

L'instant est crucial. Le verdict va tomber, comme la lame d'une guillotine.

Marylène, qui n'y tient plus, prend timidement la parole :

— Comment le trouvez-vous, mon café ?

— Chaud.

— Chaud ? Et c'est tout ?

— Oui. Je suis déçu. Mais je voulais absolument tenter cette expérience et je vous remercie de l'avoir rendue possible.

— Moi aussi, je suis déçue. Je ne pensais qu'à vous faire plaisir.

— Vous m'avez fait grand plaisir en partageant cette petite aventure avec moi, Marylène. Mais le café n'est pas convivial. C'est vous tous qui l'êtes, avec ou sans ce curieux liquide chaud.

L'atmosphère se détend quelque peu. Le test a quand même eu quelque chose de positif.

— Au fait, reprend le Néblis, je ne ressens plus la présence de Zep. Serait-il dans ce qu'il appelle le Pays des Dunes ?

— Certainement, mais il ne va pas tarder à revenir, précise Cyrille. Il a rendez-vous demain à la Maison-Blanche.

— Mais que fait-il, tout le temps, au Pays des Dunes ?

Élyse et Jonathan lui expliquent en termes choisis ce qu'est l'amour entre deux êtres et quels sont les gestes qui l'accompagnent.

— Est-ce convivial, l'amour ?

— Oh oui ! Très ! soupire Élyse.

— Les babouins pratiquent-ils l'amour ?

— Sans aucun doute ; tous les êtres vivants le font, sur la Terre.

Le Néblis se lève de table pour prendre congé.

— Je reviendrai dès que je percevrai la présence de Zep. J'ai des choses importantes à lui communiquer.

— Nous pouvons lui faire le message.

— Non, cela lui ferait de la peine que je ne l'aie pas attendu.

Quelle délicatesse de la part d'un être qui naguère ne pensait qu'à conquérir en détruisant toute opposition !

Mais aussi, quelle nouvelle source d'inquiétude ! Les Néblis sont sur le point de prendre une décision. Vont-ils rester ou partir ? Cette histoire d'Empire des sphères se précise-t-elle, ou tire-t-elle à sa fin ?

○

Le Néblis retourne auprès de ses semblables. Ils reprennent leur forme simiesque. Un bruyant conciliabule s'établit entre eux. Le groupe se divise. Des couples se forment. Les Néblis mettent en pratique la leçon d'amour qu'Élyse et Jonathan viennent de leur donner …

○

Lorsque Zep revient, les Néblis sentent sa présence, arrêtent leurs ébats amoureux et reprennent une apparence humaine. Le petit homme les rejoint pour une longue conversation. De quoi peuvent-ils parler ? De leurs amours respectifs, peut-être.

Zep se détache du groupe et se dirige vers la maison de Cyrille et Marylène.

— Venir tous avec Zep. Néblis vont dire projets.

Et voilà ! La minute de vérité. Enfin !

Comme d'habitude, un Néblis prend la parole pour le groupe :

— Nous avons maintenant découvert ce qu'il y avait de plus précieux sur Terre et c'est grâce à vous. Il ne nous manquait plus que l'amour. Nous allons donc vous quitter. Nous ne construirons pas l'Empire des sphères, comme vous l'avez craint. Cela nous obligerait à gouverner, ce qui n'est pas convivial sans compter que cela nous éloignerait de l'amitié des babouins et de l'amour. Nous avions d'abord pensé ramener Zep avec nous, mais à ses yeux, Barbara et ses amis de la Rivière-aux-Souches sont trop importants pour qu'il les quitte. À présent que nous savons ce que sont les sentiments, nous ne sommes plus capables de rendre quelqu'un malheureux.

— Nous allons vous regretter, dit Élyse, une larme au coin de l'œil.

— De toute manière, nous sommes en danger. Nous avons perdu ce que vous appelez notre rayon de la mort. Nous ne pouvons plus nous défendre. L'atmosphère de votre sphère freine trop les radiations d'énergie universelle. Nous ne pourrions survivre à long terme qu'en parasitant la vitalité de vos semblables. Ce qui nous est devenu impensable.

— Adieu, Néblis, conclut Cyrille. Vous nous avez fait peur, mais nous garderons le souvenir d'une bande de gens sympathiques et sensibles.

Sur un signe du porte-parole néblis, les babouins se joignent au groupe qui s'efface tandis qu'apparaît une pierre rouge. Deux fois plus grosse que d'habitude, puisqu'elle contient maintenant trente voyageurs.

Puis la pierre elle-même se dissout dans l'invisible.

○

Peu après se matérialise la bulle de plasma de Noûs et Nochée. Les Spirites s'en dégagent.

— Vous avez fait votre part et nous la nôtre, déclare Noûs. La brèche entre Thalassa et les parasphères est à présent colmatée.

Épilogue

Zep a été reçu, avec Élyse et Jonathan, à la Maison-Blanche. On suppose que les responsables du protocole ont été prévenus de ne pas s'opposer aux manières inattendues de l'ambassadeur extraordinaire. Le président a fort bien admis que Zep le tutoie et retire ses bottes de cowboy pour être plus à l'aise. Les militaires présents lors de la rencontre ont fait la gueule parce que Zep a systématiquement refusé de saluer quiconque portait l'uniforme.

L'année suivante, le petit homme s'est vu décerner le prix Nobel de la paix. Il est allé le chercher en Suède. Ce fut la première fois qu'un lauréat se présentait en salopette devant Carl XVI Gustav, revêtu de son plus beau costume d'apparat.

Ne sachant que faire de l'argent du prix Nobel, Zep l'a confié à Cyrille, lequel a décidé de le consacrer à une fondation. La Fondation Zep Gradu, destinée à récompenser le geste le plus amical de l'année. Cyrille a réussi à composer un règlement visant à étoffer quelque peu la pensée zeppienne, qui pouvait s'avérer trop simpliste pour être prise au sérieux. Le prix Zep Gradu est devenu le prix international de la constructivité.

Ce qui, pour certains, ne veut pas dire grand-chose, mais qui permettra au gnome de se faire un nouveau copain par année.

TABLE DES CHAPITRES

Pauline Stive

YVES
STEINMETZ

Yves Steinmetz a grandi en Afrique centrale. Sa jeunesse s'est déroulée dans le cadre de la jungle équatoriale, en contact étroit avec la nature et les populations locales. Il a gardé de ses origines un goût prononcé pour le mystère, la magie, la fantaisie et les histoires qu'on échange pour le plaisir de l'évasion.

Depuis 1968, il passe au Québec une vie mouvementée. Aventurier de la culture, il exerce les métiers les plus divers : luthier, musicien, cofondateur du Festival de la chanson de Granby, entraîneur de chiens guides, horticulteur, dessinateur... Jusqu'à ce qu'il découvre enfin un univers sans limites, un monde où tout est permis, où tout existe, même l'impossible : celui du roman. Depuis, il consacre sa vie à raconter les histoires les plus fantastiques.

Son roman *La chamane de Bois-Rouge* a été finaliste au prix du Gouverneur général.

Collection Conquêtes

Ce livre a été imprimé
sur du papier enviro 100 % recyclé.

Empreinte écologique réduite de :
Arbres : 6
Déchets solides : 237 kg
Eau : 18 767 L
Émissions atmosphériques : 615 kg

Ensemble, tournons la page sur le gaspillage.